JOEL
CONDE

entro

Más que Vencedores

CÉSAR & CLAUDIA CASTELLANOS

pos-encuentro

GUÍA DE POS-ENCUENTRO
PARA HOMBRES

César Castellanos D © 2003

Publicado por G12 Editores

ventas@g12bookstore.com

sales@g12bookstore.com

www.g12bookstore.com

ISBN 1-932285-33-4

Impreso en Colombia
Printed in Colombia

CONTENIDO

Introducción

Sea una persona firme   9
en sus decisiones

Relacionándonos con Dios   17

El poder de la Adoración y   27
la Alabanza

La Biblia, el libro que transformará 37
su vida

La importancia del Bautismo   47

Fuimos creados para bendecir   55

La bendición de la Paternidad   65

Conociendo la Voluntad de Dios   73

Piense como un Vencedor   81

Dios creó al hombre para que   91
sea Próspero

He tenido la oportunidad de asistir a muchos Encuentros, los cuales son retiros de tres días. Allí he podido observar en los rostros de muchos, el reflejo de la opresión que el enemigo ha ejercido sobre ellos. Pero la maravillosa obra que Dios hace, a pesar de la corta duración de un Encuentro, podríamos describirla como algo milagroso. Ver la alegría que emana de sus vidas al abrazar a sus familiares amigos y líderes, nos motiva a darle gracias a Dios por cómo Él transforma las vidas de manera sobrenatural.

El Encuentro podría compararse con la salida del pueblo de Israel de la tierra de Egipto, bajo el liderazgo de Moisés. Dios lo hizo para liberar a su pueblo del yugo opresor de Faraón. Lo único que el Señor le pedía a Faraón era: Deja ir a mi pueblo por tres días para que me sirvan en el desierto. El Rey Egipcio entendía que ése era el tiempo requerido para que la gente fuera libre, por tal motivo endureció su corazón y no los dejó ir. Dios intervino drásticamente y Faraón no encontró otra opción que permitirles su liberación. Cuando ellos sintieron lo que era ser libre, gran alegría vino sobre el pueblo, pero el Faraón endureció su corazón hacia ellos y lanzó un contraataque con la idea de destruirlos pues su deseo era que murieran ahogados en el mar.

Mientras Moisés intercedía por el pueblo, Dios le dijo: ¿Por qué clamas a mí? Dile al pueblo que marche. Extendió su vara y el mar Rojo que estaba delante de ellos se dividió en dos para que el pueblo lo atravesara caminando en seco. Dios, a través de su inmenso poder, abrió el camino para que su pueblo obtuviese la salida, escapando de las manos del enemigo.

Encuentro un gran paralelismo entre lo que vivió el pueblo de Israel y las personas que comienzan a establecerse en la visión. El Encuentro significa libertad; significa salir de la opresión de Egipto. Pero después de esta gran liberación, viene un contraataque del enemigo, donde trata de seducir nuevamente a las personas para que vuelvan atrás, y regresen de nuevo a la esclavitud del pecado. Pero así como Dios abrió las aguas del Mar Rojo, también Dios ha abierto una brecha para que su pueblo cruce victoriosamente.

Si buscáramos una definición para describir lo que es el Pos-Encuentro, podríamos decir: El Pos-Encuentro es el camino trazado por Dios para que su pueblo avance en pos de Él, sin que las adversidades los detengan. El objetivo de cada una de estas enseñanzas, es ayudar a cada uno de los que asistió al Encuentro, a mantener la liberación recibida y las bendiciones dadas por Dios.

El apóstol Pedro dijo:"Sed sobrios y Velad; porque vuestro adversario el diablo, como león rugiente, anda alrededor buscando a quien devorar; al cual resistid firmes en la fe" (1Pedro 5:8-9ª). Si cada uno de los que asisten al Encuentro se esfuerzan para continuar fielmente el proceso del Pos-Encuentro, Dios podrá contar con ellos como pueblo y los bendecirá en gran manera.

El Apóstol Pablo, llamado Saulo de Tarso, se jactaba en ser judío, en haber sido educado por uno de los mejores maestros bíblicos, Gamaliel, en ser un ciudadano romano y en defender con celo sus tradiciones. Pero cuando tuvo su primer encuentro con Jesús, entendió que había trabajado por alcanzar el éxito equivocado. Este encuentro fue para él tan poderoso, que luego dijo: "Pero cuantas cosas eran para mí ganancia, las he estimado como pérdida por amor de Cristo. Y ciertamente, aun estimo todas las cosas como pérdida por la excelencia del conocimiento de Cristo Jesús, mi Señor, por amor del cual lo he perdido todo, y lo tengo por basura, para ganar a Cristo" (Filipenses 3:7, 8).

Luego que el Señor se reveló en su camino a Damasco, esos tres días que Saulo estuvo apartado, fueron días de reflexión, introspección, arrepentimiento y meditación. Las Escrituras cobraron nueva vida y nuevo sentido en su mente, y la revelación del Mesías fue tan clara para él que, desde ese mismo instante, propuso en su corazón dedicar cada minuto de su vida y cada partícula de su existencia al servicio del Señor Jesús. Lo impactante de Saulo, es que después de su encuentro no cesaba de predicar a Jesús dondequiera que fuera; y sin medir consecuencias, se esforzó en llevar el mensaje de Jesucristo hasta lo último de la tierra demostrando, a través de las Escrituras, que éste era el Cristo.

César Castellanos D.

FUNDAMENTACIÓN
  BÍBLICA BÁSICA

  Hechos 9:4-22

FUNDAMENTACIÓN
    BÍBLICA
COMPLEMENTARIA

1 Juan 2:27
Éxodo 14:15
Gálatas 2:18
Efesios 4:22-32
Isaías 53:4-5

Sea una persona firme
en sus Decisiones

1

LECCIÓN

LA CONVERSIÓN

Sin lugar a dudas, Saulo vino a convertirse en una de las figuras más importantes del cristianismo a través de todas las épocas, debido a su firme determinación en servir a Jesús de todo corazón. Su conversión fue sobrenatural. Recibió la visión celestial, la cual lo hacía partícipe de continuar la misión iniciada por Jesús, y de discipular naciones enteras.

Fue confrontado con su pasado
Hechos 9:4-22

(Vs. 4-5). Con la experiencia que Saulo vivió cuando Jesús se le reveló, toda su teología quedó sin fundamento; por primera vez se sintió incapaz de aferrarse a aquello que antes era su esperanza.

Recibió revelación de su propia naturaleza

(Vs. 6). Estaba temblando y temeroso. Cuando somos confrontados por Dios, lo oculto de nuestros corazones sale a la luz y es cuando sentimos vergüenza.

Tuvo su primer encuentro

(Vs. 9). Por tres días tuvo intimidad con Dios. Durante ese período no tuvo deseos de comer ni de beber, pues lo único que anhelaba era orar.

Un profeta oró por él

(Vs. 17). En el encuentro recibió visión y llenura del Espíritu Santo. Dios siempre usa personas para bendecirnos.

Tomó la decisión de bautizarse

(Vs. 18). Saulo, como hombre conocedor de la ley, sabía que Dios era un Dios de pacto, y que la manera que Él se relacionaba con su pueblo era a través del pacto del bautismo, el cual reemplaza a la muerte de cruz.

Pasó un tiempo siendo discipulado

(Vs. 19). Ese tiempo compartiendo con los líderes cristianos, le otorgó la base para poder desarrollar el ministerio que Dios le había confiado.

Saulo predicó diligentemente acerca de Jesucristo

(Vs. 20). La conversión de Saulo fue algo que captó la atención de aquellos que lo conocían por su celo religioso, y estaban maravillados de que se hubiera convertido al cristianismo.

Saulo se esforzó

(Vs. 22). Es fundamental que todo aquel que haya pasado por un encuentro genuino con Jesús, se esfuerce y comparta con otros acerca de Su amor. Pablo, más adelante lo dijo: "Porque no me avergüenzo del evangelio porque es poder de Dios, para todo aquel que cree". Es importante que ahora que usted asistió a un encuentro, se ponga en evidencia frente a otros, sean éstos sus familiares, sus compañeros de oficina o sus vecinos.

Creyó que Jesús era el Cristo

Aunque Saulo conocía las profecías bíblicas acerca del Mesías, éstas no le fueron reveladas sino hasta cuando tuvo su encuentro con Jesús.

Una de las estrategias que utiliza el enemigo luego del encuentro, (en el cual se vivieron profundas experiencias de intimidad con Dios) es preparar un gran ataque, astuto y rápido, con el propósito de robarle todo lo que recibió de Dios en esos días. Debemos entender que a Satanás le cuesta aceptar que aquellos que fueron en otro tiempo sus esclavos, estén experimentando ahora la libertad de la vida cristiana, e intentará por todos los medios enfriarlos en su relación con Dios. Para ello, utilizará cosas que en el pasado anhelaban pero que no habían logrado conseguir, como por ejemplo: propuestas de negocios ilícitos, un encuentro repentino con la mujer que antes era inalcanzable, un ascenso en el trabajo que le demanda el tiempo que antes dedicaba a Dios y a su obra, etc.

Qué importante es mantener los ojos espirituales bien abiertos para no caer en la trampa del adversario!

NO INTENTE INVOLUCRARSE NUEVAMENTE CON EL PASADO

Pablo dijo: *"Porque si las cosas que destruí, las mismas vuelvo a edificar, transgresor me hago"* (Gálatas 2:18).

Debemos entender que dentro de nosotros existe una naturaleza que intenta rebelarse contra Dios para convertirnos en esclavos de nuestros propios deseos. Nuestra naturaleza carnal es tan peligrosa como un felino adiestrado, que sólo necesita probar una gota de sangre para revivir su salvajismo y levantarse en contra de sus amos. Al respecto, Pablo dijo en Efesios 4.22-32:

1. Despojaos del viejo hombre, que está viciado conforme a los deseos engañosos. Estar viciado significa: "aferrado a hábitos destructivos". Y la única manera de lograr ser libres es renovando nuestra mente por medio de la Palabra de Dios, lo cual producirá la santidad en nosotros.

2. Por lo cual, desechando la mentira, hablad verdad cada uno con su prójimo. Las malas conversaciones corrompen las buenas costumbres. La mentira no proviene de Dios.

3. Airaos, pero no pequéis; no se ponga el sol sobre vuestro enojo. Salomón dijo que el enojo reposa en el corazón de los necios, pero que la blanda respuesta quita la ira.

4. No deis lugar al diablo. La persona iracunda y rencorosa le abre una gran puerta al adversario. Éste ya no atacará desde afuera, sino desde dentro.

5. El que hurtaba, no hurte más, sino trabaje, haciendo con sus manos lo que es bueno, para que tenga qué compartir con el que padece necesidad. Quien tuvo el hábito del robo debe ahora compensar con generosidad.

6. Ninguna palabra corrompida salga de vuestra boca, sino la que sea buena para la necesaria edificación, a fin de dar gracia a los oyentes. Toda palabra negativa, o de queja, viene a ser como un río contaminado.

Cuando Israel estaba en el desierto con deseos de beber agua, no pudieron hacerlo porque éstas estaban amargas. Mas, al arrojar el árbol tal como Dios lo había indicado, las aguas fueron trasformadas en dulces y desapareció el veneno. Del mismo modo, si el árbol de la cruz está en nuestra vida, cada palabra que sale de nuestros labios será un manantial de agua viva.

7. Y no contristéis al Espíritu Santo de Dios, con el cual fuisteis sellados para el día de la redención. El Espíritu Santo ha venido a morar en su vida, pero Él no quiere ser tratado como si no existiera. La indiferencia y la liviandad espiritual hacen que Él se entristezca, y la luz de bendición, por esta causa, puede llegar a desaparecer.

8. Quítense de vosotros toda amargura, enojo, ira, gritería, maledicencia, y toda malicia. Antes sed benignos unos con otros, misericordiosos, perdonándoos unos a otros, como Dios también os perdonó a vosotros en Cristo.

CONCLUSIÓN

Como podemos ver, somos nosotros mismos los que debemos despojarnos de aquellas cosas que pueden convertirse en un obstáculo para nuestro desarrollo espiritual. Hay áreas en nuestra vida en las cuales Dios no interviene. Él hizo su parte al llevar nuestras enfermedades y dolores sobre su cuerpo en el madero. Él llevó nuestras rebeliones y nuestros pecados, y por esto fue molido y castigado; mas su herida se convirtió en nuestra liberación y en nuestra medicina (Isaías 53:4-5).

Aunque el espíritu de rebeldía ya fue quitado mediante la cruz del calvario, debe haber un esfuerzo de nuestra parte por liberarnos de aquellos hábitos que nos mantuvieron ligados a un pasado de miseria por causa de la maldad, y así renovar día a día nuestra intimidad con Dios y Su Palabra.

APLICACIÓN

Determine desde hoy romper definitivamente con su pasado y comience a vivir una etapa de bendición en su vida.

1 Cuestionario de Apoyo

1. Ahora que ha pasado por un genuino Encuentro con Jesús, enuncie por lo menos 3 determinaciones que sabe que cambiarán positivamente su vida:

Ir a la iglesia, adorar a "Dios" y mucha horación y salir mas con la familia y ser mas unidos.

2. ¿Cuáles serían los pasos concretos que debería dar para que su familia, sus amigos y sus compañeros de trabajo puedan conocer a Jesús por medio de usted?

Ps creo k la mayoria de mis amigos y familia ya conocen de "Jesus" pero ps seria hablando de la bonita experencia q dios hiso conmigo.

3. Nombre algunas razones por las cuales no debe involucrarse nuevamente con actitudes o hábitos de su pasada manera de vivir

ps por q se q me aran mucho daño pero ca si creo q eso no deve de ocurrir por q me he alegrado de todo.

4. Haga un compromiso con Dios y con usted mismo acerca de los siguientes aspectos:

MENTIRA no salir mas de mi voca una mentira.

ENOJO prometo tomar las cosas con mas calma

VOCABULARIO Dejar de hablar malas palabras y "decir palabras de bendicion y no de maldicion, de riqueza y no

OTROS de pobresa, de salud y no de enfermed por q en mi voca hay un milagro!

5. De aquellas personas cercanas a usted, como familiares o amigos, ¿a cuál de ellos desearía invitar para que tengan una experiencia como la que usted vivió en el encuentro?

NOMBRE _____

Teléfono _____

NOMBRE _____

Teléfono _____

FUNDAMENTACIÓN
  BÍBLICA BÁSICA

  Salmos 16:11

FUNDAMENTACIÓN
     BÍBLICA
COMPLEMENTARIA

Salmos 100:2,4

Jonás 2:9-10

Colosenses 3:15-17

1 Tesalonicenses 5:16-19

Mateo 12:36-37

Marcos 11:24

Romanos 8:32

Juan 14:13-14

1 Timoteo 2:5

Filipenses 4:19

2 Corintios 1:20

1 Juan 5:14

Relacionándonos
con Dios

2

LECCIÓN

NECESITAMOS RELACIONARNOS PERSONALMENTE CON DIOS

Cuando conocí a Claudia, mi vida fue tan impactada por ella que no tuve la menor duda de que sería mi esposa. Uno de mis mayores anhelos era que llegara el momento de verme con ella; no había un compromiso más importante que el poder estar a su lado. Estaba dispuesto a hacer los cambios necesarios en mi agenda, con el único propósito de poder compartir tiempo junto a la mujer que hacía vibrar mi corazón. Si alguien me hubiese dicho: "No vayas a ver a Claudia, ya que eso es bastante aburrido", yo habría respondido: "¡Estar a su lado es emocionante! Cuando estoy con Claudia deseo que el tiempo se detenga; ella me hace sentir importante y valorado; como el sentimiento del amor es algo difícil de expresar con palabras, anhelo aprovechar cada segundo que estoy con ella".

En nuestra relación con Dios sucede algo similar. Así como la experiencia del amor es única, también lo es la experiencia de la oración: Sólo la vive el que la practica. Hablar con Dios nunca puede ser algo aburrido, pues cada segundo que Él nos permite estar en Su presencia es la experiencia más impactante, casi indescriptible. Desearíamos que el tiempo no termine, pues nada hay más importante que estar en su presencia. Él nos hace sentir importantes, nos demuestra su amor, nos revela su voluntad, nos protege bajo Su sombra y suple todas nuestras necesidades.

La única manera en que la oración se torna monótona y aburrida es cuando carece de amor y compromiso. ¿Vivió alguna vez la experiencia de demostrar amor sin ser correspondido? Así se siente Dios, pues Él nos ha demostrado de tantas maneras su amor y aún así ve que algunos de sus hijos se mantienen distantes, en una actitud de indiferencia.

ENTENDIENDO QUÉ ES
EL DEVOCIONAL

La manera que tenemos de relacionarnos con Dios es la oración. Para desarrollar este hábito tan importante, debemos dedicar cada día un tiempo a ella, a solas y en intimidad con Dios, lo cual se denomina "devocional". Éste es un tiempo en el cual podemos expresarle a Él lo que hay en nuestro corazón; y donde Él nos revelará su voluntad y demostrará su gran amor por nosotros. Para que su devocional sea eficaz, le sugerimos:

- Defina la hora y el tiempo de duración de su devocional.
- Tenga privacidad.
- Adquiera el hábito de hacerlo en las mañanas, antes de comenzar las actividades cotidianas.
- Sea sincero consigo mismo y con Dios.
- Tenga su Biblia a mano, así como un cuaderno de notas, y escriba lo que Dios le hable a través de su Palabra.
- Tenga una lista de las peticiones que presentará al Señor en oración.

A. Entrando en Su Presencia

Debemos entender que dentro de nosotros tenemos dos naturalezas, la espiritual y la carnal. Pablo dijo que el deseo de la carne es contra el espíritu y el del espíritu es contra la carne, y los dos se oponen entre sí. Por tal motivo, hay una lucha interna para poder entrar en comunión con Dios. Además, la mente trata de divagar constantemente. Pero en la medida que practiquemos la oración, nuestro hombre espiritual se irá fortaleciendo y la naturaleza carnal se irá debilitando.

B. Empezando a Orar alegremente y con acción de Gracias.

"Venid ante su presencia con alegría... Entrad por sus puertas con acción de gracias, por sus atrios con alabanza; alabadle, bendecid su nombre" (Salmo 100:2,4). Nada puede producir mayor gozo en nuestro corazón que el poder estar en la presencia de nuestro Dios. La actitud de nuestro

corazón determina el éxito que tengamos en la oración, pues para perseverar en ella debemos estar siempre gozosos.

Un corazón agradecido es aquel que sabe reconocer la obra de Dios en cada aspecto de su vida. Las puertas que nos llevarán al castillo de Su Majestad se llaman "gratitud". Piense en todo aquello por lo cual debería darle gracias a Dios.

Sólo uno de los diez fue agradecido.

Una de las maneras más importantes para expresar nuestro amor a Dios, y mantener una relación estrecha con Él, es la gratitud.

Posiblemente, usted recordará aquella escena donde el Señor sanó a diez leprosos y tan solo uno de ellos regresó para darle las gracias, por lo cual el Señor le preguntó: "¿No fueron diez los que limpié?, ¿dónde están los otros nueve?".

Solamente uno de los diez tuvo la actitud correcta de gratitud, y éste no era judío sino samaritano.

El dar gracias lo liberó.

Dios le había encomendado a Jonás la misión de predicar en la ciudad de Nínive, pero él no quería que ellos se salvaran, sino que deseaba que el juicio de Dios los alcanzara; por tal motivo, huyó de la presencia de Dios y terminó en el vientre de un gran pez. Estando en el oscuro vientre del pez, pudo reconocer su pecado, se arrepintió y se comprometió diciendo: *"Yo en cambio, te ofreceré sacrificios y cánticos de gratitud. Cumpliré las promesas que te hice. La salvación viene del Señor". Entonces el Señor dio la orden y el pez vomitó a Jonás en tierra firme (Jonás 2:9-10 NVI).*

No fue hasta el momento que Jonás abrió sus labios en gratitud a Dios que el Señor dio la orden al pez que lo vomite en tierra firme.

La gratitud debe brotar de nuestro corazón en todo momento, en situaciones buenas y adversas, porque sabemos que todo lo que nos sucede obra para nuestro bien. El apóstol Pablo dijo: *«Dad gracias por todo porque esa es la voluntad de Dios para con vosotros en Cristo Jesús».*

Dios se relaciona con creyentes agradecidos.

"Y todo lo que hacéis sea de palabra o de hecho hacedlo todo en el nombre del Señor Jesús, dando GRACIAS a Dios Padre por medio de él" (Colosenses 3:15-17).
"Orad sin cesar. Dad gracias en todo, porque esta es la voluntad de Dios para con vosotros en Cristo Jesús. No apaguéis el espíritu" (1 Tesalonicenses. 5:16-19).
La oración y la gratitud deben permanecer unidas. Al cultivarlas y hacer que éstas formen parte de nuestra personalidad, estaremos cumpliendo con la voluntad de Dios y mantendremos viva la llama del avivamiento. Dar gracias es la mejor medicina frente a la amargura, el dolor y el fracaso.

El Señor dijo: *«Mas yo os digo que de toda palabra ociosa que hablen los hombres, de ella darán cuenta en el día del juicio. Porque por tus palabras serás justificado, y por tus palabras serás condenado» (Mateo 12:36-37).*

Un gran poder reside en este miembro tan pequeño, «la lengua», a tal punto que de este miembro depende su salvación o su condenación. La lengua lo puede conducir a la queja o lo puede motivar a la alabanza. Cuando en las Escrituras dice: "de todo dicho ocioso", de acuerdo al griego, la palabra "ocioso" da la connotación de "palabra hueca, que no da fruto". De toda palabra vacía que el hombre pronuncie, tendrá que dar cuentas en el último día.

JESÚS ENSEÑÓ A SUS DISCÍPULOS A ORAR

La oración es la llave que nos relaciona con Dios.

Cuando usted llega a su casa, generalmente lleva la llave apropiada para poder ingresar. Solamente hay un camino por medio del cual podrá comunicarse con Dios, y es a través de la oración. Esa es la llave maestra que abre la puerta para relacionarnos directamente con el Señor.

La oración es una relación personal con Dios.

Él se deleita escuchando cada una de las palabras que salen de nuestros labios. « *Por tanto, os digo que todo lo que pidieres orando, creed que lo recibiréis y os vendrá...*» *(Marcos 11:24)*.

El Señor desea que disfrutemos de su intimidad, de la misma manera que un padre amoroso disfruta de la relación con sus hijos. Él está dispuesto a mover sus ángeles en nuestro favor para que podamos obtener lo que nuestro corazón desea; porque si tenemos la capacidad de pedir con fe, Él lo hará. «El que no escatimó ni a su propio hijo, sino que lo entregó por todos nosotros, como no nos dará también con él todas las cosas...» (Romanos 8:32).

Pedir en el Nombre de Jesús

«Y todo lo que pidieres al Padre en mi nombre lo haré para que el Padre sea glorificado en el Hijo, si algo pidieres en mi nombre yo lo haré» (Juan 14:13-14).
Las Escrituras enseñan que podemos dirigirnos directamente al Padre Dios. Toda oración que usted eleve tiene que ser dirigida al Padre, en el nombre de Jesús.
Dios es Santo, extremadamente Santo, y Él no admite, no acepta, ni participa del pecado de nadie.
Su santidad lo mantiene completamente alejado de toda clase de impurezas, y todo lo que lo rodea es también santo y proclama sus maravillas.

Jesús es nuestro único mediador

Cuando Dios quiso relacionarse con el pueblo de Israel, no soportó las quejas ni la murmuración de ellos. Por tal motivo, escogió a Moisés para que fuera el intermediario entre ellos y Dios. *«Porque hay un solo Dios y un solo mediador entre Dios y los hombres, Jesucristo hombre...» (1 Timoteo 2:5).*
Cuando usted se dirige a Dios, debe hacerlo en el nombre de Jesús. Al hacerlo, Él se convierte en un puente entre usted y

Dios. Su oración puede ser: *"Señor, vengo ante ti en el nombre de Jesús de Nazaret y te presento estas necesidades .... (especificar cada una de ellas), confiando que por tu divina gracia las obtendré"*.

Jesús es nuestro proveedor

Dios es el Señor de todo. En Él está la abundancia, y Él siempre es generoso con cada uno de sus hijos. Su bondad es ilimitada, sus favores son ilimitados, y usted puede comenzar a disfrutar de todas las bendiciones que Él ha reservado para cada uno de nosotros. *«Mi Dios pues suplirá todo lo que os falta conforme a sus riquezas en gloria en Cristo Jesús"* (Filipenses 4:19).

Jesús dijo sí a sus promesas

"Todas las promesas de Dios son en él (en Jesucristo) sí, y en él amén, por medio de nosotros para gloria de Dios..." (2 Corintios 1:20).
Todo lo que Dios promete, Él mismo se ocupa de verlo cumplido. Si Dios prometió suplir todas nuestras necesidades, y Él dijo: "Lo hago", Él lo hará. Nosotros debemos responder: "Amén, Señor, tengo la plena certeza de que obtendré cada una de las peticiones que te he presentado, por tu gracia y misericordia".

TENGA SU LIBRO DE SUEÑOS

Junto con mi esposa hemos desarrollado el hábito de escribir nuestras peticiones. Aun conservamos una libreta de notas que usamos en nuestro tiempo devocional en el año 83, donde anotamos nuestras peticiones con la fecha en que realizamos la oración y la fecha en que obtuvimos la respuesta. Todo lo que le pedimos al Señor durante ese año, incluyendo la provisión económica y la salvación de familiares, el Señor nos respondió en un 70%, ese mismo año.
Dios se agrada en gran manera cuando al orar, describimos en detalle nuestra petición, o si aún al hacerlo usamos gráficas. Nuestras hijas han aprendido este principio. Cada una de ellas tiene su respectivo cuaderno y lo llaman:

"Libro de sueños". En él detallan todo lo que desean. Muchas de las imágenes de lo que anhelan, las bajan por el Internet y las pegan en su libro. El Señor siempre les responde; (muchas veces, más rápido de lo que ellas esperan). *"Y esta es la confianza que tenemos en él que si pedimos alguna cosa conforme a su voluntad, él nos oye"* (1 Juan 5:14).

CONCLUSIÓN

Tener una relación personal con Dios es, sin duda, una fuente de vida. Determínese e inicie esta nueva etapa, siguiendo estos pasos sencillos que le darán una vida de éxito y plenitud, permitiéndole experimentar la grandeza de Dios en su vida.

APLICACIÓN

Empiece mañana mismo su tiempo devocional y experimente las maravillas de Dios en su vida.

2 Cuestionario de Apoyo

1. Explique con sus propias palabras ¿Qué es un devocional?

_____
_____
_____
_____

2. Para enriquecer su relación con Dios, establezca desde hoy su tiempo Devocional:

LUGAR   _____
HORA   _____ A. M

Enuncie por lo menos 3 aspectos que deba tener en cuenta a realizar su devocional:

_____
_____
_____
_____

3. Describa brevemente su vivencia personal durante su tiempo devocional, respecto a los siguientes aspectos:

ENTRAR EN SU PRESENCIA:

_____
_____
_____
_____
_____

DAR GRACIAS:

_____
_____
_____
_____
_____

PEDIR EN EL NOMBRE DE JESÚS:

_____

_____

_____

_____

_____

4. ¿Por qué la oración es la llave que nos relaciona con Dios?

_____

_____

_____

_____

_____

5. Comience a realizar su LIBRO DE SUEÑOS.

FUNDAMENTACIÓN
   BÍBLICA BÁSICA

Éxodo 20:4-5 ; Juan 4:24

FUNDAMENTACIÓN
      BÍBLICA
COMPLEMENTARIA

1 Reyes 8:27
Salmo 95:6
Filipenses 2:9-11
Apocalipsis 4:9-11
Salmo 143:6
Éxodo 17:8-16
Salmo 34
Job 38:7
Mateo 12:35-37
Santiago 3:7-9
Hebreos 13:15
Salmo 145:2
Salmo 111:1
Salmo 47:7
Salmo 63:4
Salmo 150:4
Salmo 148:11-14
Hebreos 11:3
2 Timoteo 3:16
2 Pedro 1:21
Juan 20:30-31
Romanos 10:17
Hebreos 4:12
Colosenses 3:16
1 Pedro 2:1-2
Efesios 4:31
Mateo 4:4
Hebreos 5:12-14

El Poder de la Adoración y de la Alabanza

LECCIÓN

LA ADORACIÓN

El hombre fue creado para adorar a Dios. Cuando Satanás vio la comunión íntima que el hombre disfrutaba con su Creador, lleno de envidia, quiso destruir esa relación y canalizar esa necesidad humana en beneficio propio para que el hombre se rindiera ante él.

Cuando Satanás tentó al Señor, una de sus propuestas fue: "Todo esto te daré, si postrado me adorares". Y el Señor le respondió: *"Vete de mí Satanás porque escrito está: Al Señor tu Dios adorarás y a él sólo servirás"* (Mateo 4:10).

Podemos notar, entonces, que el Señor le dice al adversario que la adoración es exclusiva de Dios y no se le puede dar a ninguna otra persona. Tampoco se puede tributar adoración a ningún objeto, símbolo o imagen. La adoración le pertenece única y exclusivamente a Dios y a nadie más. El mismo Señor, en los diez mandamientos, enseñó que uno de los motivos por el cual el juicio divino viene sobre la humanidad es por adorar imágenes, porque éstas levantan una gran barrera entre Dios y el hombre (Éxodo 20:4-5). Adorar lo que no es Dios, es llamar su ira sobre la descendencia hasta la cuarta generación. Dios es espíritu, y la única manera de adorarle es en espíritu.

El Señor enseñó: *«Dios es Espíritu; y los que le adoran, en espíritu y verdad es necesario que adoren"* (Juan 4:24).

¿ Cómo podemos Adorar a Dios ?

En una ocasión, un profesor muy escéptico le hizo una pregunta a un niño: "Dime, ¿dónde está Dios?". Y el niño le dijo: "Yo le hago otra pregunta. Dígame, ¿dónde no está Dios?". Sabemos que Su presencia llena los cielos y toda la tierra.

Salomón, en la dedicación del templo dijo: *"Pero ¿es verdad que Dios morará sobre la tierra? He aquí que los cielos de los cielos no te pueden contener; ¿Cuánto menos esta casa que yo he edificado?"* (1 Reyes 8:27).

Sólo a través de la Biblia podemos entender la manera correcta de cómo adorar a Dios. El Señor nos muestra allí las pautas que nos ayudarán a comprender lo que es la adoración:

Arrodillarse

«Venid, adoremos y postrémonos; arrodillémonos delante de Jehová nuestro Hacedor...» (Salmo 95:6).
La palabra "arrodillar" y "rodilla" en el hebreo tienen el mismo significado, que es: «Bendición». Cuando usted se arrodilla está bendiciendo el nombre de Dios.
El apóstol Pablo, refiriéndose al Señor Jesucristo después de su victoria sobre la muerte, dijo: «Por lo cual Dios también le exaltó hasta lo sumo, y le dio un nombre que es sobre todo nombre, para que en el nombre de Jesús, se doble toda rodilla de los que están en los cielos, y en la tierra y debajo de la tierra; y toda lengua confiese que Jesucristo es el Señor, para gloria de Dios Padre» (Filipenses 2:9-11).

Postrarse

«Venid adoremos y postrémonos; arrodillémonos delante de Jehová nuestro Hacedor» (Salmo 95:6).
Cuando el pueblo se postraba, cubría su rostro ante la presencia de Dios. Ésta es una expresión de quebrantamiento, de humillación, de entrega. Los judíos, cuando adoraban a Dios, siempre lo hacían con el rostro en tierra. Inclinaban su cabeza, colocándola en el suelo ante la presencia del mismo Dios.

Dios es Espíritu

Siempre ha existido. Él creó todas las cosas, visibles e invisibles. Primero fue lo espiritual y luego lo material. A Dios nadie lo ha visto. El único que lo conoce y nos lo ha dado a conocer es el Señor Jesucristo. Él fue quien nos enseñó que la única manera de adorar a un Dios que es espíritu debe ser con la naturaleza espiritual; y los únicos que poseen esa naturaleza son aquellos que han nacido de nuevo (Juan 3:3). Nosotros no adoramos a cualquier dios, nosotros adoramos al Dios que creó el cielo, que creó la tierra, que hizo el universo, el Creador de cada vida, el Dios que envió a su hijo Jesucristo para salvarnos.

Levantar los brazos

«Extendí mis manos a ti, mi alma a ti como la tierra sedienta...» (Salmo 143:6).

Levantar lo brazos es símbolo de rendición y, al hacerlo, estamos diciéndole a Dios nuestro Padre que dependemos totalmente de Él.

Las Escrituras nos relatan una historia en Éxodo 17:8-16, cuando Israel estaba en batalla contra Amalec, y Dios les dijo que los brazos de Moisés no debían bajarse hasta que ellos obtuvieran la victoria. Cuando Moisés estaba con los brazos en alto, los ejércitos de Dios asistían al ejército de Israel en la batalla, y comenzaron a vencer al de Amalec; pero cuando los brazos de Moisés se cansaban, los ángeles ya no peleaban junto a ellos pues necesitaban que los brazos de Moisés estuvieran en alto para que ellos pudieran actuar. Por eso, Aarón y Hur tomaron cada uno un brazo de Moisés y los sostuvieron. De este modo, los Israelitas pudieron prevalecer contra Amalec y vencerlos.

Esto nos enseña que cuando levantamos los brazos en alto, aquellos poderes demoníacos que están luchando contra nosotros son quebrantados, doblegados y avergonzados, porque el ejército de Dios comienza a obrar a través nuestro y en nuestro favor.

LA ALABANZA

«Bendeciré a Jehová en todo tiempo; Su alabanza estará de continuo en mi boca. En Jehová se gloriará mi alma; lo oirán los mansos, y se alegrarán. Engrandeced a Jehová conmigo, y exaltemos a una su nombre» (Salmos 34: 1-3).
«En el principio Dios creó los cielos y la tierra» (Génesis 1:1).

Antes de que todo existiera, ya estaba Dios. Él creó todas las cosas, y una de ellas fue la música. Ésta no es invención del adversario. La música es creación de Dios y la dio como un medio para que los ángeles le alaben. La alabanza existía aún antes de la creación del mundo.

¿Quiénes alababan a Dios cuando Él fundaba la tierra?

Todas las estrellas del alba lo hacían, y se alegraban todos los seres creados por Dios. La alabanza produce un gran regocijo espiritual. El salmista dijo: «*Pero tú eres santo, tú que habitas entre las alabanzas de Israel*» (Salmo 22:3). Si el pueblo alaba a Dios, Dios estará en medio de ellos.

El poder de la vida del hombre está centrado específicamente en la lengua; de lo que él exprese con ella depende su bienestar en la tierra y su seguridad en la otra vida. Si expresa lo recto y lo justo, el Señor Jesucristo dijo: "*El hombre bueno, del buen tesoro de su corazón saca buenas cosas; y el hombre malo, del mal tesoro saca malas cosas. Más yo os digo que de toda palabra ociosa que hablen los hombres, de ella darán cuenta en el día del juicio. Porque por tus palabras serás justificado, y por tus palabras serás condenado*" (Mateo 12:35-37).

El hombre bueno es el que sabe discernir sus palabras; él entiende que éstas son el resultado de lo que haya admitido en sus pensamientos, pues una vez que ellos entran en la mente, se establecen en el corazón; y de lo que habita en el corazón es de lo que hablamos. De toda palabra que el hombre pronuncie que no sea de edificación, o que no dé buen fruto, deberá rendir cuentas en el último día. Ya que lo que nos salva, o nos condena, son nuestras palabras.

Aunque la lengua es uno de los miembros más pequeños del cuerpo, no obstante es quien decide dónde pasaremos la eternidad. El apóstol Santiago dijo: «*Pero ningún hombre puede domar la lengua, que es un mal que no puede ser refrenado, llena de veneno mortal. Con ella bendecimos al Dios y Padre, y con ella maldecimos a los hombres, que están hechos a la semejanza de Dios*» (Santiago. 3:8-9).

A. Beneficios de la Alabanza

La alabanza tiene el poder de hacer callar la voz del enemigo. Juan nos enseña que el acusador de nuestros hermanos es Satanás y que él nos acusa noche y día ante Dios. Mas cuando se persevera en la alabanza, Dios le cierra la boca al acusador haciéndolo callar, porque la voz de la alabanza enmudece a los demonios.

La alabanza levanta un muro muy alto de protección alrededor de su vida y de su familia, un lugar donde el adversario no podrá llegar. Nuestra vida está segura por causa de la alabanza.

B. ¿Cuándo debemos alabar a Dios?

«Cada día te bendeciré, y alabaré tu nombre eternamente y para siempre» (Salmo 145:2).
«Bendeciré a Jehová en todo tiempo; su alabanza estará de continuo en mi boca. En Jehová se gloriará mi alma; lo oirán los mansos y se alegrarán» (Salmo 34:1).
¿Cuándo debemos alabar al Señor? En todo tiempo, en todo momento; cada situación debe ser un motivo para alabar al Señor.

C. ¿Cómo debemos alabar al Señor?

Con todo el corazón. *«Alabaré a Jehová con todo mi corazón en la compañía y congregación de los rectos» (Salmo 111:1).*

Con inteligencia. *«Porque Dios es el Dios de toda la tierra; cantad con inteligencia» (Salmo 47:7).* La inteligencia es la creatividad e inspiración divina, donde podemos exaltar los atributos característicos de Dios.

Bendiciendo Su nombre. *«Así te bendeciré en mi vida; en tu nombre alzaré mis manos» (Salmo 63:4).*

Con pandero y danza. *«Alabadle con cuerdas y flautas»* *(Salmo 150:4).* Le debemos alabar con todo instrumento musical. Comparta acerca de los címbalos, el pandero, el arpa y la danza.

D. ¿Quiénes deben Alabar?

"Los reyes de la tierra y todos los pueblos, los príncipes y todos los jueces de la tierra, los jóvenes y también las doncellas, los ancianos y los niños. Alaben el nombre de Jehová, porque sólo su nombre

*es enaltecido. Su gloria es sobre tierra y cielos. Él
ha exaltado el poderío de su pueblo; alábenle todos
sus santos, los hijos de Israel, el pueblo a él cercano.
Aleluya" (Salmo 148: 11-14).*

CONCLUSIÓN

En síntesis, Dios creó la alabanza. La alabanza es desde la
eternidad. Cuando Dios creó la tierra, lo hizo en medio de la
alabanza; la puerta que nos permite entrar en la presencia del
Señor es la alabanza. La alabanza levanta un muro de protección
alrededor de nuestra vida y de nuestros seres queridos.
La alabanza es nuestra fortaleza; la alabanza hace callar la voz
del enemigo y del vengativo; la alabanza produce liberación en
nosotros y en los que están a nuestro alrededor. Todo lo que
existe, todo lo que respira debe alabar al Señor.

APLICACIÓN

Dedique un tiempo durante la clase para adorar y alabar al Señor,
expresando de esta forma su gratitud, sintiendo la seguridad
divina en sus vidas y en la de sus seres queridos.

3 Cuestionario de Apoyo

1. ¿Qué es la Adoración?

M es Cuando le cantamos y
le horamos dando gracias.

2. ¿Qué es Alabanza?

Es para mi es

3. Según el Salmo 95:6 y 143:6, ¿ De qué maneras podemos adorar a Dios?

4. Conteste:

¿Quiénes alababan a Dios cuando Él fundaba la tierra?

¿Cuándo debemos alabar a Dios?

¿Cómo debemos alabarle?

Con todo el _____

Con _____

Bendiciendo su_____

Con _____ y _____

¿Quiénes deben alabar?

_____

_____

_____

_____

5. Asista a la próxima reunión de intercesión de su ministerio y comparta su experiencia.

_____

_____

_____

_____

FUNDAMENTACIÓN BÍBLICA BÁSICA

2 Timoteo 3:16

FUNDAMENTACIÓN BÍBLICA COMPLEMENTARIA

Marcos 11:22
Juan 1:1-2
Salmo 18:13
Salmo 33:6
Hebreos 11:3
2 Pedro 1:21
Isaías 30:8
Daniel 12:4
Romanos 10:17
Hebreos 4:12
Mateo 24:35
Juan 6:63
Isaías 55:11
Colosenses 3:16
1 Pedro 2:1-2
Efesios 4:31
Mateo 4:4
Hebreos 5:12-14

La Biblia, el libro que transformará su vida

4
LECCIÓN

LA AUTORIDAD DE LA PALABRA

Marcos 11:22

Todo el sistema de cosas en el que vivimos se mueve a través de la palabra. Lo que nosotros decimos determina lo que llegaremos a ser y hacer; por medio de ella trazamos un camino de vida o de muerte.
El Señor Jesucristo dijo: *"Porque por tus palabras serás declarado justo y por tus palabras serás condenado. De todo dicho ocioso que digan los hombres tendrán que rendir cuentas en el último día".*

El Señor siempre actúa en comunión con la Palabra

Antes de que Dios creara el mundo, dijo : *Era la palabra y Jesucristo es la palabra, y la palabra estaba con Dios y la palabra era Dios. Este era en el principio con Dios. (Juan 1:1-2).*

Cuando Dios propuso en su corazón crear al mundo y crear al hombre, simplemente envió Su Palabra. Cada palabra dada por Dios es enviada llena de poder.
La palabra "poder", en el griego, es "dúnamis", que significa "dinamita". *"Tronó en los cielos Jehová, y el Altísimo dio su voz..."* (Salmo 18:13). Una sola palabra de Dios puede dar vida, puede crear o puede derribar. *"Por la palabra de Jehová fueron hechos los cielos, y todo el ejército de ellos por el aliento de su boca"* (Salmo 33:6).

Lo que hoy se puede ver fue producido por lo que no se veía. Detrás de este mundo visible, existe otro mundo que es invisible, donde todos los seres que se mueven en él tienen una naturaleza espiritual; todos son gobernados por Dios.

Dios es conocido como el Padre de los espíritus, y nosotros somos seres espirituales que vivimos en un cuerpo humano. Jesús es el verbo de Dios que, voluntariamente, aceptó vivir en un cuerpo humano.

Cada palabra que salía de su boca estaba cargada de tanto poder que aun los más escépticos decían: "Nunca hombre alguno ha hablado como éste".

LA BIBLIA FUE INSPIRADA POR DIOS

2 Timoteo 3:16-17

Desde el libro de Génesis hasta el libro de Apocalipsis, todo es Palabra de Dios. Se escribió en un período de 1.600 años.
Los escritores sagrados que participaron fueron aproximadamente unos 40 hombres; provenían de diferentes épocas, culturas y estratos sociales.
Había poderosos monarcas, ilustres estadistas, mujeres virtuosas, jueces, gobernantes, profetas; además, labriegos y pescadores. Dios tomó la vida de estos hombres que, al conocerle, decidieron rendirse plenamente a Él, convirtiéndose en canales por medio de los cuales pudo fluir la Palabra de Dios, la cual quedó impresa en ellos y reservada para cada uno de nosotros.

El apóstol Pedro escribió: *"Porque nunca la profecía fue traída por voluntad humana, sino que los santos hombres de Dios hablaron siendo inspirados por el Espíritu Santo"*
(2 Pedro 1:21).

Fue escrita y preservada hasta el fin

A Isaías el Señor le dijo: *"Ve, pues, ahora, y escribe esta visión en una tabla delante de ellos, y regístrala en un libro, para que quede hasta el día postrero, eternamente y para siempre"* (Isaías 30:8)

A Daniel le fue ordenado: *"Pero tú, Daniel, cierra las palabras y sella el libro hasta el tiempo del fin. Muchos correrán de aquí para allá, y la ciencia aumentará"* (Daniel 12:4).

Nos ayuda a conocer y a creer en Jesús

Juan dijo: *"Hizo además Jesús muchas otras señales en presencia de sus discípulos, las cuales no están escritas*

en este libro. Pero éstas se han escrito para que creáis que Jesús es el Cristo, el Hijo de Dios, y para que creyendo, tengáis vida en su nombre" (Juan 20:30-31).
"Así que la fe viene como resultado de oír el mensaje, y el mensaje se oye mediante la Palabra de Cristo" (Romanos 10:17 - Biblia de Estudio Pentecostal).

Jesús es el personaje central

El personaje central de la Biblia es el Señor Jesucristo. En la antigüedad, ya había sido profetizado cada aspecto de su ministerio, muerte y resurrección. Las Escrituras también revelan los hechos que sucederán en relación a su segunda venida a este mundo.

Es nuestra esperanza

La Biblia es el único libro que nos aparta de las tinieblas a la luz, nos lleva de la muerte a la vida, nos rescata de la potestad de Satanás y nos traslada a la potestad de Cristo, nos libera de la opresión para ser inundados por una paz gloriosa, y reprende la enfermedad para que podamos disfrutar de una salud plena.
Es el único libro que puede traer sabiduría a nuestra vida, esperanza para nuestra familia y proyección de una gloria eterna.

Si lee la Biblia sólo cinco minutos por día, en menos de un año la habrá leído en su totalidad. Podemos leer toda la Biblia sólo en 70 horas y 40 minutos; el Antiguo Testamento, en 52 horas 20 minutos y el Nuevo Testamento, en 18 horas y 20 minutos.

Si lee diez capítulos por día, esto es cuatro capítulos por la mañana, dos al medio día y cuatro por la noche, en solamente 18 semanas habrá terminado de leer toda la Biblia; el Antiguo Testamento, en 14 semanas, y el Nuevo Testamento en 26 días.

ASPECTOS DE LA PALABRA DE DIOS

Hebreos 4:12

Podemos ver que la Palabra de Dios es:

Viva

Tiene tanta vida la Palabra de Dios que el mismo Señor dijo: *"El cielo y la tierra pasarán, pero mis palabras no pasarán"* (Mateo 24:35).

A sus discípulos, que no alcanzaban a comprender la profundidad de sus palabras, Jesús les dijo: *"El Espíritu es el que da vida; la carne para nada aprovecha; las palabras que yo os he hablado son espíritu y son vida"* (Juan 6:63).

Eficaz

Del griego "energues". Esto es "operante o dinámica", es decir, que la Palabra va cargada de toda la energía divina y cumple el propósito para el cual Dios la ha enviado. *"Así será mi palabra que sale de mi boca; no volverá a mí vacía, sino que hará lo que yo quiero, y será prosperada en aquello para que la envié"* (Isaías 55:11).

Cortante

Más que una espada de dos filos (del griego "makhaira"). Es como el bisturí del cirujano operando, y está destinada a curar. Cuando la Palabra de Dios se desata, llega hasta la parte más íntima del ser, sanando las heridas más profundas del alma o del espíritu.

LA PALABRA DE DIOS ES NUESTRO ALIMENTO ESPIRITUAL

A. La Leche
1 Pedro 2:1-2

Lo que es la leche materna para el bebé, es la Palabra de Dios para el recién convertido. Cuando se permite algo impropio en la leche, ésta se descompone y empieza a agriarse. Si usted permite cosas impropias en su vida, la leche de la Palabra se le puede agriar, perdiendo así su efecto nutritivo.

Lo impropio viene a ser la malicia, el engaño, la hipocresía, las envidias y todas las detracciones. Pablo les dijo a los efesios: *"Quítense de vosotros toda amargura, enojo, ira, gritería y maledicencia y toda malicia..."* (Efesios 4: 31). El apóstol enseña que cada uno, por medio de su propia voluntad, debe deshacerse de todas las cosas que le impiden un desarrollo espiritual normal, y presenta una lista de las cosas que nosotros no debemos consentir ni permitir jamás en nuestra vida:

- Amargura
- Gritería
- Ira
- Enojo
- Maledicencia
- Malicia

Es importante comprender que, por medio de nuestra voluntad, somos nosotros los que debemos despojarnos de todas estas cosas. Al hacerlo, la leche se convierte en un alimento muy nutritivo para nuestras vidas.

B. El Pan

Jesús dijo: *"...no sólo de pan vivirá el hombre, sino de toda palabra que sale de la boca de Dios"* (Mateo. 4:4).

Llega un tiempo en nuestra vida cristiana, cuando aprendemos a depender de Dios para todas nuestras necesidades; cada día vemos la provisión de Dios como la vieron los israelitas en el desierto.

C. La Comida Sólida

"Porque debiendo ser ya maestros, después de tanto tiempo, tenéis necesidad de que se os vuelva a enseñar cuáles son los primeros rudimentos de la palabra de Dios; y habéis llegado a ser tales que tenéis necesidad de leche, y no de alimento sólido. Y todo aquel que participa de la leche es inexperto en la palabra de justicia, porque es niño; pero el alimento sólido es para los que han alcanzado madurez, para los que por el uso tienen los sentidos ejercitados en el discernimiento del bien y del mal" (Hebreos 5:12-14)

El alimento sólido es para los que han adquirido madurez, la cual han alcanzado por medio del ejercicio. Como un atleta que anhela coronarse campeón, sólo puede lograrlo con una dedicación total a su deporte, y la práctica contínua es lo que lo hace un profesional o un campeón.

CONCLUSIÓN

Un creyente puede alcanzar la madurez espiritual si se ejercita en el estudio de la Palabra. Cuanto más estudie y profundice en las Escrituras, más sus sentidos se fortalecerán para un desarrollo normal.

APLICACIÓN

Diseñe un cronograma de lecturas de la Biblia para que sea leída en el menor tiempo posible.

4 Cuestionario de Apoyo

1. ¿Qué significa la Biblia para su vida?

Es la llave de la sabiduria ya q gracias a exa podemos encontrar respuestas a nuestras vidas.

2. De acuerdo a lo que aprendió en clase acerca de la Biblia, anote:

Es inspirada por Dios:

Si pero escrita por 40 hombres aproximadamente

Fue escrita y preservada hasta el fin:

Si y sera registrado hasta el dia postrero

Nos ayuda a conocer y a creer en Jesús:

Si poca q vivamos Conforme a su palabra y tener fe atraves de su mensaje

3. ¿Por qué la Biblia es el libro más importante?

Es porq atraves de ella Dios nos da pasos a seguir y ser mas vivir mas en santidad Conforme a su palabra

4. Lea Hebreos 4:12 y enuncie las características de la Palabra de Dios:

eficaz
viva
y como espada de 2 filos "cortante"

5. Compare la Palabra de Dios como alimento espiritual:

LECHE

es la palabra de dios q siempre debe de estar fresca para q no nos apartemos del camino

PAN

es cuando dependemos de Dios como la vivieron los israelitas en el desierto

COMIDA SÓLIDA

es para los q tienen an o an alcanzado madurez

6. Programe el tiempo y cantidad de capítulos que leerá de la Biblia a partir de hoy:

TIEMPO DIARIO   20 minutos

NÚMERO DE CAPÍTULOS   5 capitulos

FUNDAMENTACIÓN
BÍBLICA BÁSICA

Marcos 16:16

FUNDAMENTACIÓN
BÍBLICA
COMPLEMENTARIA

Mateo 3:16-17

Gálatas 3:27

Romanos 6:5

1 Corintios 12-13

Hechos 8:12 ; 36-38

Hechos 10:47-48

Hechos 16:31-34

Lucas 3:12

La Importancia
del Bautismo

LECCIÓN

EL QUE CREYERE Y FUERE BAUTIZADO SERÁ SALVO (Marcos 16:16)

Dios es un Dios de pactos, y éste es el medio que Él utiliza para relacionarse con su pueblo. En la antigüedad, estableció con el pueblo de Israel el pacto de la circuncisión. Con el advenimiento de Jesús a este mundo, dejó establecido el bautismo en agua como uno de los medios para sellar nuestra fe y nuestro compromiso con Él.

1. JESÚS NOS DIO SU EJEMPLO

Después de que Jesús se bautizó, sucedieron tres cosas:

1. Los cielos se abrieron.

2. El Espíritu Santo descendió como paloma y vino sobre Él.

3. Hubo una voz del cielo que decía:
"Este es mi Hijo amado, en quien tengo complacencia" (Mateo 3:16-17).

En esta enseñanza vemos tres bendiciones que cobijan a aquellos que dan el paso del bautismo:

Los cielos estarán abiertos para ellos
Esto es la relación del hombre con Dios, la cual había sido interrumpida por causa del pecado de Adán, fue restaurada en Jesucristo. Ahora, Dios inclina los cielos para atender a las necesidades de sus hijos.

Gozarán de un revestimiento espiritual
Así como Jesús recibió la llenura del Espíritu Santo después de su bautismo, también el creyente, al dar el paso de obediencia, es revestido del poder de Dios. *"Porque todos los que habéis sido bautizados en Cristo, de Cristo estáis revestidos"* (Gálatas 3:27).

Serán adoptados

Podemos escuchar esa voz interna de Dios diciéndonos: "Eres mi hijo amado y estoy complacido contigo". Esta declaración trae una poderosa seguridad a nuestras vidas porque podemos sentir que somos verdaderamente amados por el Padre.

El bautismo simboliza ser sepultado. El Señor ya no nos pide ir al suplicio de la cruz, pues en ella cargó nuestra culpa, pecado y maldición; lo único que Él mandó es que bajemos a las aguas del bautismo, lo cual equivale a morir en la cruz, dejando completamente crucificada toda nuestra naturaleza allí.

2. EL BAUTISMO ES UN MANDATO DIVINO

Antes de que el Señor ascendiera al cielo, dijo a sus discípulos: *"Id por todo el mundo y haced discípulos en todas las naciones, bautizándolos en el nombre del Padre, y del Hijo y del Espíritu Santo; enseñándoles que guarden todas las cosas que os he mandado; y he aquí yo estoy con vosotros todos los días, hasta el fin del mundo"* (Mateo 28:18).

Las exigencias del Señor con sus discípulos fueron:

Hacer discípulos a todas las naciones.

Bautizarlos en el nombre del Padre, del Hijo y del Espíritu Santo.

Enseñarles que guarden todas las cosas que Jesús les había mandado.

Transmitirles la seguridad que Él está con nosotros todos los días hasta el fin del mundo.

3. EL BAUTISMO SE LLEVA A CABO DESPUÉS DEL ARREPENTIMIENTO

Después de oír el mensaje ungido de Pedro en Pentecostés, los judíos que lo escucharon estaban conmovidos. Se acercaron a los apóstoles y les preguntaron: *"Varones hermanos, ¿qué haremos?"*. *Pedro les respondió: "... arrepentíos, y bautícese cada uno de vosotros en el nombre de Jesucristo para perdón de pecados; y recibiréis el don del Espíritu Santo"* (Hechos 2:38).

La invitación del apóstol fue:

Arrepentimiento.

Ellos sabían muy bien lo que Pedro quiso decir. Deberían volver sus corazones a Dios dejando atrás sus malos caminos, y proponerse a transitar por la senda correcta.

Bautismo.

El bautismo es una decisión personal, puesto que es un pacto. Todos los creyentes deben entrar en ese pacto de sepultamiento pues, aunque merecíamos morir, Jesús no pide nuestra muerte, sino el bautismo que reemplaza nuestra sepultura.

Disposición para recibir la llenura del Espíritu Santo.

Sabemos que la persona más importante de todo el universo es el Espíritu Santo, y Dios nos lo concedió a nosotros los creyentes como un regalo, para que lo cuidemos como la perla de gran precio.

4. EL BAUTISMO DEBE SER UNA DECISIÓN INMEDIATA A LA CONVERSIÓN

Felipe fue quien compartió la Palabra a un funcionario etíope de Candace, de la reina de los etíopes. Este hombre recibió la convicción de que la Escritura es la Palabra de Dios y que Jesús es el verdadero Mesías. (Hechos 8:36-38)

Después que Felipe le aclarara las Escrituras y el eunuco entendiera que Jesucristo era el Señor, este decidió ser parte de esa bendición y ordenó detener el carro para bautizarse. El único requisito que Felipe le exigió fue tener fe: "Si crees de todo corazón, bien puedes hacerlo".

5. EL BAUTISMO ES TAMBIÉN PARA LOS QUE NO SON JUDÍOS

El apóstol Pedro se encontraba en casa de Cornelio predicando el evangelio de Jesús y, mientras él estaba hablando, el Espíritu de Dios descendió con poder sobre todos los que escuchaban el mensaje y fueron llenos del Espíritu Santo. Los mismos fieles de la circuncisión que iban con Pedro quedaron maravillados. (Hechos 10:47-48).

La experiencia de Pedro con aquella familia gentil fue:

Que Dios los aprobó.
El análisis que hace el apóstol es: Si Dios los ha incorporado dentro de su pueblo y los ha hecho iguales a nosotros, ¿quién podrá estorbar lo que Dios ha aprobado?

Actuó con rapidez.
No esperó a recibir la opinión de los otros judíos, sino que actuó en fe, quitando la barrera de separación que había entre judíos y gentiles, por medio del bautismo.

Los consolidó.
Se quedó con ellos por algunos días para instruirlos en la fe cristiana.

6. EL BAUTISMO ES TAMBIÉN PARA TODA LA FAMILIA

Cuando el apóstol Pablo predicó en la ciudad de Filipos y fue encarcelado, el carcelero, al ver que las celdas se habían abierto, se imaginó que todos los presos habían huido y pensó en quitarse la vida. Pablo le dijo: *"No te hagas daño, todos estamos aquí"*. El hombre temblando les dijo: *"Varones hermanos, ¿qué debo hacer para ser salvo?"*. El apóstol le dijo: *"Cree en el Señor Jesucristo,* y serás salvo, tú y tu casa". Le hablaron la Palabra del Señor a él y a todos los que estaban en su casa. Y él, tomándolos en aquella misma hora de la noche, les lavó las heridas; y en seguida se bautizó él, con todos los suyos. Llevándoles a su casa, les puso la mesa; y se regocijó con toda su casa de haber creído a Dios" (Hechos 16:31-34).

Pablo presenta las siguientes verdades:
- La salvación se hace extensiva a toda la casa.
- Predicaron la palabra a toda la familia.
- Bautizaron a toda la familia.
- Pusieron su casa al servicio de Pablo.

7. QUIEN SE BAUTIZA, DEBE DAR FRUTOS DIGNOS DE ARREPENTIMIENTO

Cuando las multitudes acudían a Juan el Bautista para ser bautizadas, él después de exhortarlos duramente, les decía: *"Haced, pues, frutos dignos de arrepentimiento"* (Lucas 3:8). El fruto es determinado por nuestras acciones y nuestras palabras.

Cuando la gente le preguntaba: "¿Qué haremos?", él les respondía:
Sean generosos. *"El que tiene dos túnicas, dé al que no tiene, y el que tiene qué comer, haga lo mismo"* (Lucas 3:11).

Sean íntegros. Vinieron también unos publicanos para ser bautizados y le preguntaron: ¿Qué haremos?, y les dijo: "No exijáis más de lo que está ordenado".

No deben quejarse por nada. "También le preguntaron unos soldados, diciendo: Y nosotros ¿qué haremos?; les dijo: No hagáis extorsión a nadie, ni calumniéis y contentaos con vuestro salario".

CONCLUSIÓN

Si el mismo Señor Jesucristo, sin haber cometido pecado, cumplió con el requisito del bautismo. Cuánto más nosotros, que debemos iniciar una nueva etapa en la vida, en la cual sepultamos nuestra vieja naturaleza y nacemos a la bendición que Dios tiene para quienes cumplen con lo que dice su Palabra.

5 Cuestionario de Apoyo

1. Lea, copie y explique el texto de Marcos 16:16:

El q' creyere y fuere bautizado sera salvo;
mas el q' no creyere sera condenado.
Ps es un mandato de dios q' se
tiene q' cumplir y aquel q' no lo aga
ps estara desobedeciendo a Dios

2. ¿Qué sucedió cuando Jesús se bautizó y qué sucede hoy cuando alguien se bautiza?

Se abren los cielos y el espiritu
santo vaja como una paloma

3. Conteste:

El bautismo es un mandato divino porque:

por q' gracias a eso nosotros
podemos ser salvos

El bautismo es una paso que se da después de:

creer en jesucristo pero de
corazon y no solo de palabra

4. ¿Cuándo debemos bautizarnos?

Cuando de verdad creamos y tener
huzo de Razon, para saber lo q' estamos
haciendo y a q' se deve

5. ¿A quiénes cobija la bendición que trae el bautismo?
   (Lea Hechos 16:31-34)

A todos aquellos q' creen en
Dios y su santa palabra

6. Si aún no se ha bautizado, averigüe cuál es la fecha próxima de
   bautismos de su ministerio e inscríbase.

FUNDAMENTACIÓN
BÍBLICA BÁSICA

1 Pedro 4:11

FUNDAMENTACIÓN
BÍBLICA
COMPLEMENTARIA

Apocalipsis 16:13-14

Salmo 149:6-9

Génesis 1:28

1 Pedro 1:7

Génesis 12:1-3

Santiago 3:10

1 Crónicas 17:23

Deuteronomio 28:1-3

1 Corintios 7:4

Proverbios 10:6a

Juan 17:9

Job 1:5

Romanos 10:8

Proverbios 6:2

Juan 17:15-17

Fuimos creados para Bendecir

LECCIÓN

EL VERDADERO CREYENTE SIEMPRE BENDICE

En su boca debe estar siempre la palabra de bendición, pues hay un gran poder en cada una de las palabras que expresamos. Pedro dijo: *«Si alguno habla, hable conforme a las palabras de Dios» (1 Pedro 4:11)*. El hablar las palabras de Dios pone a trabajar el reino espiritual. Si las palabras son de fe y de bendición, comienza a operar todo el reino angelical dirigido por el Señor. Mas cuando se hablan palabras negativas, de amargura y de maldición, entra en acción el reino de las tinieblas.

Si su hogar está atravesando por alguna crisis, empiece a visualizar con los ojos de la fe la transformación del mismo.

Y una vez que tenga esa convicción en su corazón, confiese con sus propias palabras que ya tiene el mejor hogar del mundo. Lógico, satanás tratará de hacerlo tambalear, bombardeándolo con pensamientos de duda y de temor; pero si usted logra vencerlos, experimentará que la victoria es suya.

Por medio de la fe, usted pone a trabajar los ejércitos angelicales, y ellos le ayudarán en la transformación de corazones. Usted mismo verá la gloria de Dios en su vida, en su hogar, en su ministerio y en su empresa.

EXALTANDO A DIOS
Salmo 149:6-9

Cuando exaltamos a Dios con nuestras gargantas, la Palabra de Dios se hace más aguda y poderosa en nuestras manos. Tenemos la autoridad de invocar la presencia de Dios para que tome control de las naciones, sabiendo que los pueblos que se han opuesto al evangelio serán doblegados por el poder de Su Espíritu. Las fuerzas demoníacas que han controlado individuos, familias, ciudades y naciones, serán encadenadas con grillos. Aun los poderes demoníacos que habían logrado acomodarse tranquilamente, como si fueran los nobles de la tierra, serán encadenados con cadenas de hierro. Y testificaremos a las fuerzas del mal que Jesucristo ya las juzgó en la cruz del calvario.

A. El Poder de la Bendición

Tres pasos fundamentales fueron establecidos por Dios para la pareja:

Fructificad

La palabra "fructificad" significa "vida de santidad".

El apóstol San Pablo, cuando escribió a los romanos, dijo: *"Mas ahora que habéis sido libertados del pecado y hechos siervos de Dios, tenéis por vuestro fruto la santificación, y como fin, la vida eterna" (Romanos 6:22).*

Sólo podremos fructificar cuando hayamos logrado romper con las ataduras del pecado. Si usted quiere ver la bendición de Dios en todas las áreas de su vida, debe forjar una vida de santidad. San Pedro escribió: *"Y si invocáis por Padre a aquel que sin acepción de personas juzga según la obra de cada uno, conducíos en temor todo el tiempo de vuestra peregrinación" (1 Pedro 1:17).*

Si usted invoca el nombre del Dios Santo, tiene que vivir de acuerdo a ese Dios que está invocando.

Multiplicad

La santidad nos debe llevar a la multiplicación. Es el propósito de Dios que crezcamos y nos multipliquemos, ya sea en lo espiritual, en lo económico o en lo ministerial.

Señoread

La santidad nos lleva a la multiplicación y ésta nos guía a la autoridad. Dios quiere que nosotros, como sus hijos, escalemos posiciones de privilegio. Su anhelo es que, donde estemos, podamos ser autoridad y también una alternativa de cambio, pues su propósito es que estemos como cabeza y no como cola.

Es importante que el matrimonio, a diario, haga la siguiente oración:

"Dios, hoy nos presentamos delante de ti para recibir todas tus bendiciones. Gracias por unirnos en matrimonio y por hacernos partícipes de las mismas bendiciones que le diste a la primera pareja, Adán y Eva. Nos comprometemos a vivir en santidad. Danos tu gracia y tu unción para multiplicar nuestro desarrollo ministerial, nuestra vida espiritual y nuestras finanzas. Danos la unción de autoridad para poder dirigir correctamente tu obra.
Te lo pedimos en el nombre de Jesús, Amén.

B. Dios quiere bendecirnos
Génesis 12:1-3

Dios, para poder llevar acabo su propósito de bendecir a sus hijos, siempre busca tener, como punto de contacto, la fe de un hombre, y que éste se convierta en ejemplo para su descendencia. La palabra hebrea que usaban los judíos para "bendición", era "beraka", que equivalía a "transmisión o entrega del poder de la bondad y el favor de Dios". Por lo general, era transmitida a través de la palabra hablada, y para ellos, en la palabra hablada residía el poder de atraer el bien o de activar el mal. Cada bendición expresada a alguien obedecía a un deseo de anhelar el favor de Dios sobre esa persona. Santiago dijo: *"De una misma boca proceden bendición y maldición. Hermanos míos, esto no debe ser así"* (Santiago 3:10).

El uso que le demos a nuestras palabras es nuestra responsabilidad. Podemos usarlas como armas que destruyen o como herramientas que edifican. Si ha tomado el camino de la bendición, debe proponer en su corazón bendecir a diario a todos aquellos que le rodean.

C. El poder de la bendición dada por Dios
1 Crónicas 17:23

Aquí, David se apropia de una promesa de bendición dada por Dios a su vida, y reclama el cumplimiento de la misma. Dios no puede cambiar lo que ha salido de sus labios. Su Palabra permanece firme en los cielos pues Él cumple todo lo que le ha prometido a sus hijos.

Deuteronomio 28:1-3

Este pasaje nos enseña que las bendiciones que Dios anhela darnos, quedaron sujetas a nuestra obediencia a su Palabra. Una vez cumplido este requisito, somos partícipes de las bendiciones dadas a su pueblo Israel. *"Y todas estas bendiciones vendrán y nos alcanzarán"* (vs. 3).

Los versos siguientes especifican las clases de bendiciones de las que podemos ser beneficiarios por medio de nuestra obediencia: familiares, económicas, emocionales, empresariales, territoriales y espirituales.

Oración:

"Dios, he hecho pacto contigo de vivir de acuerdo a tu Palabra, y reclamo bendición sobre mi vida y en la vida de mis seres queridos. Pido bendición sobre mi salud y la salud de mi familia, pido por la provisión económica y que todo lo que yo toque tenga tu bendición. Prospéranos de tal modo que podamos bendecir con nuestras finanzas a otros. Danos ideas creativas y las fuerzas para hacer las riquezas. Padre, te lo pido en el nombre de Jesús".

El esposo bendice a la esposa.

Pablo dijo que el marido es el que tiene potestad sobre el cuerpo de su mujer (1 Corintios 7:4). Si Dios nos dio esta gran responsabilidad sobre la vida de nuestra esposa, debemos darle un uso apropiado. Y la mejor manera de hacerlo es bendiciéndola.

Bendición:

" Esposa mía, doy gracias a Dios por tu vida y porque Él te escogió para que seas mi compañera. Que Dios te engrandezca como lo hizo con Rut y con Ester; que halles favor ante los ojos de Dios y de los que te rodean; que el Señor bendiga el trabajo de tus manos y todo lo que tú haces. Sé que las promesas de Proverbios 31 son una realidad en tu vida. Has sido una excelente esposa, una madre ejemplar y una líder que todos admiran. Que Dios te bendiga con salud, con paz, y te haga mil veces más de lo que ahora eres. En Cristo Jesús, Amén ".

El padre bendice a sus hijos.

"Hay bendiciones sobre la cabeza del justo" (Proverbios 10:6a).
"Yo ruego por ellos; no ruego por el mundo, sino por los que me diste; porque tuyos son" (Juan 17:9).

Dios nos dio una familia y es nuestro deber bendecir a cada uno de los nuestros. Job tenía la costumbre de santificar a diario a cada uno de sus hijos (Job 1:5).

La bendición que usted desata sobre sus hijos es la palabra profética que imparte sobre sus vidas. Pablo dijo: *"Cerca de ti está la palabra, en tu boca y en tu corazón. Esta es la palabra de fe que predicamos"* (Romanos 10:8).

La palabra que usted desate sobre sus hijos, debe creerla primero en su corazón. Esto no debe hacerse como algo formal, sólo por cumplir un requisito, pues sabemos que nos ligamos con las palabras que hablamos (Proverbios 6:2).

Del mismo modo que Isaac pidió que su hijo se acercara para bendecirlo, el padre debe atraer a sus hijos y proferir bendición sobre cada uno de ellos; y de una manera individual debe orar por sus vidas.

Bendición a las hijas mujeres:

" Hija, doy gracias a Dios por tu vida. Eres un regalo de Dios para nuestro hogar. Que el Señor te haga como Rut o Ester; que halles favor ante los ojos de Dios y de los hombres; que el Señor guarde tus emociones de cualquier herida; que el Padre te dé como esposo un hombre temeroso de El, que te ame, te cuide y te proteja. Que tú seas una excelente esposa, una buena madre y una gran líder. Que el Señor te haga prosperar y sobreabundar en bienes y en sabiduría. Que Él conceda las peticiones de tu corazón y te haga mil veces más de lo que ahora eres. En Cristo Jesús, Amén ".

Bendición a los hijos varones:

" Hijo, doy gracias a Dios por tu vida. Te bendigo con la bendición de Abraham, Isaac y Jacob. Que la mano de Dios esté puesta sobre ti y haga de ti un siervo suyo. Que el Señor te bendiga con sabiduría, con prosperidad y con paz. Que cada día que vivas, lo uses para engrandecer Su reino. Que el Señor te dé por esposa una mujer virtuosa, y que tú seas un ejemplo para ella. Que Dios te haga mil veces más de lo que ahora eres. En Cristo Jesús, Amén ".

Bendiciendo a los discípulos.

"Habla a Aarón y a sus hijos y diles: Así bendeciréis a los hijos de Israel, diciéndoles: Jehová te bendiga, y te guarde; Jehová haga resplandecer su rostro sobre ti, y tenga de ti misericordia; Jehová alce sobre ti su rostro, y ponga en ti paz" (Números 6: 23-26).

Nuestros discípulos vienen a ser como hijos, y debemos orar por ellos a diario y bendecirlos, pues muchos de ellos son los que están llevando la carga del ministerio y necesitan de nuestra permanente cobertura de oración. Jesús oró por sus discípulos para que siempre fueran protegidos por Dios: *"No ruego que los quites del mundo, sino que los guardes del mal. No son del mundo, como tampoco yo soy del mundo. Santifícalos en tu verdad; tu palabra es verdad" (Juan 17:15-17).*

Oración:

" Padre, te doy gracias por cada uno de mis discípulos, hoy los bendigo con la bendición de Abraham, Isaac y Jacob. Pido que el poder de Dios los guarde de todo mal y peligro, que puedan entender el propósito de tu llamado y lo cumplan fielmente, y que los hagas mil veces más de lo que ahora son. En Cristo Jesús, Amén".

CONCLUSIÓN

El propósito de Dios, desde el comienzo de la humanidad, ha sido bendecir a sus hijos con fruto, multiplicación y autoridad. En sus manos está la decisión de aceptar el reto y la responsabilidad de ser ese canal de bendición para sus seres queridos en el área espiritual, emocional, física, financiera y ministerial.

APLICACIÓN

Cada uno de los estudiantes aprenderá el valor que hay en desatar palabras de bendición sobre su vida, su hogar, ministerio y trabajo. Es muy importante santificar la fuente de vida que son las palabras y, por medio de lo que hablamos, impartir vida y poder a cualquier situación adversa.

6 Cuestionario de Apoyo

1. ¿Qué significa la palabra BENDECIR?

Hablar con una persona y beadgarle con
~~simplemente~~ palabras o' tambien
dar aqcellos or no tienen

2. De acuerdo a Génesis 1:28, explique el poder de la bendición
dada por el Señor a los matrimonios:

FRUCTIFICAD

MULTIPLICAOS

SEÑOREAD

3. Active el poder de la bendición a través de una oración por su:

ESPOSA _____ esposa mia le doy gracias
a Dios por haberme puesto
a un ser tan maravilloso como tu
y una madre ejemplar y virtuosa
para mis hijos

HIJOS _____ Dios te doy gracias por
haberme dado a un Hijo ejemplar
ya q es un regalo tuyo el cual
le enseñare de tu palabra
Gracias Dios

HIJAS _____ Dios gracias por regalarme
una hija ala cual le enseñare
tu palabra para q sea una
gran lider y lleve tu palabra
alas naciones gracias Dios.

FUNDAMENTACIÓN
BÍBLICA BÁSICA

Efesios 3:14-15

FUNDAMENTACIÓN
BÍBLICA
COMPLEMENTARIA

Mateo 13:3-8

Mateo 5:48

Deuteronomio 18:21

Oseas 4:6

La Bendición de la Paternidad

7

LECCIÓN

LA BENDICIÓN DE SER PADRE

Nunca antes en la historia de la raza humana el mundo ha pedido con tanta insistencia que los padres asuman su responsabilidad y que tomen el lugar que les corresponde: la paternidad. La sociedad actual avanza a un ritmo tan acelerado, que cada vez demanda más y más tiempo de las personas. Y éstos, para cumplir esas demandas, ven como la vía más fácil, sacrificar el tiempo que les pertenece a los hijos.

Qué bien se aplica la parábola del sembrador en la vida de muchos padres.

En el camino. Mateo 13:4
Encontramos a Satanás que arrebata de la mente de los padres el deseo de compartir tiempo con sus hijos.

En pedregales. Mateo 13:5
Es cuando los padres se emocionan y les prometen pasar tiempo con ellos pero, a los pocos días, toda esa emoción desaparece. Se olvidan de lo prometido, y los hijos quedan con la frustración de no haber podido compartir momentos con sus padres.

Entre espinos. Mateo 13:7
Es cuando los padres están esperando tomar un tiempo para dedicarlo a los hijos, pero cada día que pasa se enredan aún en más y más compromisos.

Buena tierra. Mateo 13:8
Es cuando el padre es equilibrado, sabe administrar su tiempo y le da la mejor parte a su familia. Esto es lo que verdaderamente recuerdan los hijos con mucho cariño.

Los padres deben entender que los hijos necesitan fortalecer cada área de su vida y que, si se logra hacer un trabajo en equipo, será de mucha ayuda y bendición.

1. LA IDENTIDAD DE LOS HIJOS

Cada persona anhela saber quién es y hacia dónde va.
Vivimos días muy difíciles. Los padres maltratan a los hijos
basándose en el concepto de que los están educando.
Pero déjeme hacerle ver que nunca la disciplina es para
herir, sino para formar.

Una de las mayores crisis en la vida de los hijos se da por
causa del abandono. Hablé con una mujer que tenía tres
hijos. Ya había formado tres matrimonios y sentía que
el actual estaba tambaleando. Aquella mujer me abrió el
corazón y me dijo: "Nunca conocí a mi papá. Él nos abandonó
desde que yo era una niña. Siempre crecí con ese vacío
emocional que produce la falta de un padre. Cierto día, fue
tal mi desespero por saber quién era mi padre que tomé la
guía telefónica y llamé a cada persona que tenía los mismos
nombres y apellidos suyos. Quería, al menos, hablar con él,
aunque sólo fuera por un momento. Pero todo fue en vano".
Con lágrimas en los ojos me dijo: "Tengo que saber de dónde
provengo, quién soy y hacia dónde voy".

Si los padres entendieran el gran daño que les causan a sus
hijos, procurarían tener más dominio sobre sus impulsos y se
esforzarían más por levantar una familia que se sienta segura
de sí misma. Debido a ese vacío emocional que produce la falta
de un padre, aquella mujer había pasado ya por varios fracasos
sentimentales.

Juntamente con mi esposa nos hemos propuesto hacer todo lo
posible por no dejar heridas en las emociones de nuestras hijas.
Tratamos de que ellas tengan gratos recuerdos de lo que fueron
sus padres, pero sabemos que esto se logra con el ejemplo,
pues nadie puede aparentar delante de sus hijos. Un hombre no
puede fingir que ama a su esposa. Cuando hay verdadero amor, se
refleja en el trato, se trasmite a través del respeto, se muestra
en cómo la honra, se nota en la forma en que le da todo su apoyo.
Si un hombre es un buen esposo, podrá ser también un buen
padre, pues lo que los hijos más admiran es una buena relación de
pareja.

2. AYUDAR A SUS HIJOS A TENER UNA AUTOESTIMA EQUILIBRADA

Cuando en verdad descubrimos quiénes somos, entendemos la bendición de tener un papá, porque nos da gran seguridad saber que hay alguien que se interesa y se preocupa por nosotros.

Tengo cuatro hijas y sé que para ellas es muy importante mi opinión. En cada cosa que ellas hacen, siempre están pendientes de cuál es la postura de su padre. Sara, la menor, cuando hace alguna hazaña, ya sea en el deporte o en cualquier otra área, me dice: "Papi, ¿verdad que yo soy la mejor?". Y yo le contesto: "Claro hija, siempre superas a los demás". Sé que para los hijos es fundamental la voz de aliento y de motivación que le den los padres.

3. PROPORCIONAR SEGURIDAD A SUS HIJOS

Trae gran seguridad al ambiente familiar el que el padre esté frente al hogar pues, generalmente, el protector del hogar es más el hombre que la mujer.

Años atrás, estábamos subiendo una montaña con una de mis hijas que tenía tan solo cuatro años de edad. Cuando habíamos avanzado un corto tramo, ella se cansó y lo único que hizo fue levantar los brazos para que yo la alzara. A ella no le importó si su papá también estaba cansado, solamente extendió los brazos porque sabía que en los brazos del padre había seguridad y descanso.

Continuamente encontramos en las Escrituras a Dios revelándose como un Padre amoroso que proporciona seguridad a sus hijos. El padre por excelencia es Dios, y de Él toma nombre toda paternidad en los cielos. El Señor Jesús nos marcó una de las metas más altas que el hombre puede alcanzar: ser un verdadero padre. *"Sed pues vosotros perfectos, como vuestro padre que está en los cielos es perfecto"* (Mateo 5:48).

4. CULTIVAR EL DIÁLOGO CON SUS HIJOS

Uno de los problemas que ha tenido que afrontar la sociedad actual es ver cómo la tecnología ha llevado cada vez más al distanciamiento entre los miembros de la familia. Los amigos virtuales han desplazado la comunicación y la relación familiar. Por tal motivo, es fundamental que tanto los padres como los hijos pongan de su esfuerzo para establecer puentes de acercamiento, dejando de lado todos los impedimentos que han obstaculizado el gozar de una buena comunicación.
Para ello es fundamental:

Disponer de un tiempo diariamente. Los hijos no piden mucho, sólo que se les tenga en cuenta. Si inicia con unos quince minutos, éste será un gran avance.

Dialogar con ellos. Evite levantar la voz, recriminar, usar sátiras, quejarse o remarcar sólo los errores. Que todo lo que comparta al hablar sea positivo, sea de fe y motivación para ellos.
Crear un ambiente propicio para la comunicación.
Cuando han habido ofensas y no se ha pedido perdón, el ambiente puede tornarse muy tenso. Es fundamental subsanar todas las heridas del pasado y despojarse de todo resentimiento.

Tener actividades recreativas. Y de esta forma, integrar a cada uno de los hijos de acuerdo a sus respectivas edades. Tenerlos en cuenta en las decisiones importantes que tomen como familia.

Tratarlos como trata a sus amigos. Prestarles atención cuando le hablan, cuando comparten sus logros y victorias, como también cuando descargan sus frustraciones. Hacerlos sentir que son las personas más importantes para usted. Verbalizarlo y expresarlo a través de expresiones de cariño.

COMO FAMILIA PROCUREN MANTENER CONTACTO CON LA PALABRA

Deuteronomio 11:18-21

La bendición que Dios tiene para la familia debe descender a los hijos por medio de los padres. Es el deber del padre enseñar la Palabra de Dios a cada uno de sus hijos. Debe repetir continuamente la Palabra a sus hijos, hasta que cada enseñanza y principio sea un modo de vida dentro del hogar.

En el libro de Oseas 4:6 dice: *"Mi pueblo fue destruido porque le faltó conocimiento. Por cuanto desechaste el conocimiento, yo te echaré del sacerdocio; y porque olvidaste la ley de tu Dios, también yo me olvidaré de tus hijos".*

Padres, escuchen esta gran verdad: Si ustedes se olvidan de la Palabra de Dios, Dios se olvidará de sus hijos. Y lo que más puede herir a un padre es cuando tocan a sus hijos. Escuchamos sucesos de hombres que hicieron lo malo, hombres que afectaron la nación con violencia, hombres que eran fríos e insensibles, pero cuando tocaron a sus hijos, eso los hirió tan profundamente que se doblegaron, porque ése era su lado débil.

CONCLUSIÓN

Padres, no permitan que el juicio toque a sus hijos. Desde ahora, ustedes pueden enseñarles y prevenirles que se vuelvan a Dios y vivan de acuerdo a Su Palabra. No sean tolerantes con ellos en lo que respecta al mal. Instrúyanlos en el temor de Dios; establezcan principios que les ayuden a vivir de acuerdo a la Palabra; proporciónenles el tiempo, la atención, el cuidado y el respeto que requieran para que lleven vidas equilibradas y exitosas.

APLICACIÓN

Establezca una lista de acciones concretas que favorezcan las relaciones con sus hijos e impleméntelas inmediatamente, anotando sus logros y avances. Acepte su paternidad y comience con gozo a ejercerla.

7 Cuestionario de Apoyo

1. ¿Cuál es el mejor recuerdo que tiene de su padre?

_____
_____
_____
_____
_____

2. ¿Qué le gustaría que su hijo recordara de usted?

_____
_____
_____
_____

3. Si compara la parábola del sembrador con la relación que tiene con sus hijos, ¿en dónde cree que se ha plantado la semilla de la paternidad? Marca con una X:

En el camino _____
En pedregales _____
Entre espinos _____
Buena tierra _____

4. Mediante una acción concreta como puede establecer en sus hijos:

IDENTIDAD_____
_____
_____
_____

AUTO-ESTIMA EQUILIBRADA_____
_____
_____
_____

SEGURIDAD _____

_____

_____

_____

DIALOGO _____

_____

_____

_____

CONTACTO A DIARIO CON LA PALABRA _____

_____

_____

_____

_____

5. Proponga una meta de acercamiento hacia cada uno de sus hijos:

_____

_____

_____

_____

_____

_____

FUNDAMENTACIÓN
BÍBLICA BÁSICA

1 Tesalonicenses 5:24

FUNDAMENTACIÓN
BÍBLICA
COMPLEMENTARIA

Génesis 25:23

Romanos 8:5-8

Salmos 73:27

Romanos 8:9-11

Jeremías 1:5

Génesis 25:32

Mateo 4:3-4

Job 2:4

Hebreos 12:16-17

Génesis 32:26

2 Corintios 12:9

Ester 5:2-3

Romanos 12:2

2 Corintios 3:18

1 Juan 2:17

Conociendo la Voluntad de Dios

LECCIÓN

La voluntad de Dios llegó a mi vida como una semilla, por medio de una idea, pero cayó en buena tierra pues, al aceptarla, produjo el fruto de la salvación.

Si hubiera permitido la duda en mi ser, me habría desviado de su voluntad y me habría salido de su propósito. Pablo dijo: *"Fiel es el que os llama, el cual también lo hará"* (1 Tesalonicenses 5:24).

1. EL HOMBRE CARNAL
Génesis 25:23

Jacob representa al hombre espiritual y Esaú representa al hombre carnal.

Debemos entender que la voluntad de Dios es con aquellos que están dispuestos a llevar una vida en el espíritu.

"Porque los que son de la carne piensan en las cosas de la carne; pero los que son del Espíritu, en las cosas del Espíritu. Porque el ocuparse de la carne es muerte, pero el ocuparse del Espíritu es vida y paz. Por cuanto los designios de la carne son enemistad contra Dios; porque no se sujetan a la ley de Dios, ni tampoco pueden; y los que viven según la carne no pueden agradar a Dios" (Romanos 8:5-8).

El hombre carnal es aquel que desea valerse por sí mismo sin tener en cuenta a Dios, y como sabe que lo que él hace Dios no lo aprueba, prefiere vivir distanciado de Él.

El hombre carnal se caracteriza porque:
- Piensa en las cosas carnales.
- Se ocupa en aquello que lo conduce a la muerte.
- Sus designios son enemistad contra Dios.
- Es rebelde y no se sujeta a la ley de Dios.

2. EL HOMBRE ESPIRITUAL
Romanos 8:9-11

El hombre espiritual se caracteriza porque:

Vive según el Espíritu. Aquí se refiere a una rendición total a la voluntad de Dios.

Vive por la justicia de fe. Esto sucede cuando el hombre espiritual ha vencido a la naturaleza carnal.

El espíritu de Cristo mora dentro de él.

Dios nos conoce desde antes de nuestro nacimiento y nos ha enviado a este mundo con una misión especifica. *"Antes de formarte en el vientre, ya te había elegido; antes que nacieras ya te había apartado; te había nombrado profeta para las naciones"* (Jeremías 1:5. NVI).

3. LIBERTAD PARA ESCOGER
Génesis 25:32

La decisión de Esaú de vender su primogenitura fue efectuada sin ninguna presión de parte de Dios. Dios respeta en gran manera la libertad de escoger que le dio a cada ser humano. El comportamiento del hombre lo determinan las ideas que éste acepta en su mente.

Ustedes recordarán cuando Jesús fue tentado en el desierto:
"...Si eres Hijo de Dios, di que estas piedras se conviertan en pan. Él respondió y dijo: Escrito está: No sólo de pan vivirá el hombre, sino de toda palabra que sale de la boca de Dios" (Mateo 4:3-4).
La estrategia que utiliza el adversario, es soltar semillas a través del pensamiento; equivale a poner una carnada para controlar las vidas. Satanás aplicó un viejo principio que había usado también con Job.
"Con tal de salvar su vida, el hombre da todo lo que tiene" (Job 2:4. NVI).

El adversario ha usado los deseos de la carne para cegar los ojos del espíritu y, de esta manera, bloquear el entendimiento para impedir oír la voz de Dios. Los guía a que obren torpemente para luego tener dominio sobre ellos.

4. CÓMO MOVER LA MANO DE DIOS
Génesis 32:26

La noche más angustiosa de Jacob fue cuando supo que su hermano Esaú venía a encontrarse con él. Esto lo llevó a refugiarse en la oración. Esta era una hora decisiva para Jacob; o Dios intervenía, o el mal lo alcanzaba.

La oración esa noche fue tan intensa, pero al fin sintió la liberación de su alma. Es interesante el nombre que Jacob le da a ese lugar: el rostro de Dios (Peniel).
Toda la presión que se había gestado en el mundo espiritual, había desaparecido; el temor ya no estaba, la angustia y el desespero se habían ido. Vino una paz y una confianza a su vida como si un ejército de millares de ángeles estuviera con él.
Al día siguiente, cuando se encontró con su hermano, Jacob ya tenía control sobre las circunstancias, porque había pasado toda una noche batallando por obtener la bendición, y lo había logrado.
"Pero Esaú corrió a su encuentro y le abrazó, y se echó sobre su cuello, y le besó; y lloraron" (Génesis 33:4).

¿ Qué fue lo que sucedió que hizo que su hermano cambie tan repentinamente de actitud ? Estos son los milagros que produce la oración, porque la oración cambia las cosas.

5. APOYÁNDONOS EN DIOS
Génesis 32:31

Jacob siempre había hecho lo que él había querido. Siempre lograba lo que se proponía, sin importar los medios que utilizaba para alcanzarlo. La experiencia con el ángel cambió su vida de una manera muy radical, porque una de las cosas que tuvo que hacer el ángel con Jacob fue dejarlo cojo.
Esto implicaba que, desde ese día en adelante, Jacob tenía que usar un bastón para apoyarse. Esto nos habla de una vida de fe, donde ya no son nuestras fuerzas lo que cuenta, sino la medida de fe que tengamos.

El sol salió sobre Jacob. El sol simboliza que hemos hallado gracia ante los ojos de Dios.

6. RENOVANDO NUESTRO ANDAR CON DIOS
Romanos 12:2

Uno de los dilemas más grandes que vive el ser humano es tener que enfrentarse a lo desconocido, pues esto puede producir temor, incertidumbre y duda.
Desde el momento que Dios nos creó, nos dotó con un espíritu de conquista. Para poder conquistar el plano espiritual debemos mantener nuestra mente constantemente renovada.

Debemos entender que la voluntad de Dios para nosotros:

Es buena. Al igual que un padre amoroso que anhela darle lo mejor a sus hijos, Dios ha preparado las más ricas bendiciones para que nosotros las disfrutemos.

Es agradable. Dios es muy cuidadoso, y todo lo que Él da a sus hijos por lo general trae satisfacción. Dios no le da al hombre una mujer para que ésta le amargue la vida; tampoco lo prospera en lo económico y a la vez le permite ser afligido con una enfermedad, no. Sabemos que la bendición de Dios es la que enriquece y no añade tristeza con ella.

Es perfecta. La palabra perfecta nos habla de algo que está completo. Dios nunca deja nada incompleto. Él nos dio todas las cosas para que las disfrutemos abundantemente. Él no nos ha dado su Espíritu por medida. Él nunca nos da pequeñas bendiciones, sino que todas sus bendiciones son inmensas. David dijo: *"El hacer tu voluntad, Dios mío, me ha agradado, y tu ley está en medio de mi corazón"* (Salmos 40:8).
El apóstol Juan dijo: *"El mundo pasa y sus deseos; pero el que hace la voluntad de Dios permanece para siempre"* (1 Juan 2:17).

CONCLUSIÓN

Encontrar el camino hacia la perfección en el Señor, dependerá de que usted esté dispuesto a escuchar la dulce voz del Espíritu Santo, y que siga su camino sin reparos hasta que vea que la voluntad de Dios en su vida es buena, agradable y perfecta. Entonces se comportará como un ser espiritual y podrá comenzar a vivir en la dimensión sobrenatural.

APLICACIÓN

Cada estudiante deberá entregar, por escrito, una lista de por lo menos cinco actitudes que debe cambiar y que le permitirán dejar de ser un hombre carnal y lo convertirán en un hombre espiritual.

8 Cuestionario de Apoyo

1. Explique la diferencia entre el hombre carnal y el hombre espiritual, con un ejemplo:

_____
_____
_____
_____
_____
_____

2. Complete:

a. El hombre carnal piensa en_____
b. Se ocupa en_____
c. Sus designios son_____
d. Es rebelde porque_____

3. El hombre espiritual se caracteriza por:

_____
_____
_____
_____

4. Explique por qué la voluntad de Dios para su vida es:

BUENA_____
_____
_____

AGRADABLE_____
_____
_____

PERFECTA_____
_____
_____

5. Explique cómo usted puede renovar su andar con Dios, de acuerdo a Romanos 12:2

_____

_____

_____

_____

FUNDAMENTACIÓN
BÍBLICA BÁSICA

1 Juan 5:4

FUNDAMENTACIÓN
BÍBLICA
COMPLEMENTARIA

1 Juan 3:9

Filipenses 4:6

1 Corintios 2:11-12

Santiago 4:7

1 Corintios 2:16

Isaías 45:7

Números 13:30-31

Números 14:28

Proverbios 12:14

Eclesiastés 10:12

Piense como un
Vencedor

9

LECCIÓN

"Porque todo lo que es nacido de Dios vence al mundo; y esta es la victoria que ha vencido al mundo, nuestra fe" (1 Juan 5:4).

1. NACER DE DIOS

Jesús nos enseñó la manera cómo podríamos nacer de Dios: "El que no naciere del agua y del Espíritu, no podrá ver el reino de Dios". El agua nos habla del bautismo, mientras que nacer del Espíritu es el resultado de haber aceptado a Jesús en el corazón como Señor y Salvador de nuestras vidas. Este paso de fe y obediencia produce una concepción en lo profundo de nuestro corazón, y una nueva naturaleza empieza a emerger dentro de nosotros; esto es, la misma naturaleza de Jesús que ha empezado a crecer a través de la fe. *"Para que habite Cristo por la fe en vuestros corazones"* (Efesios 3:17a).

Cuando esto sucede, el mundo espiritual es abierto a nuestra vida; y mediante el estudio de la Palabra, la oración y la comunión con otros creyentes, vamos creciendo y fortaleciéndonos en Dios. Juan dijo: "Todo aquel que es nacido de Dios, no practica el pecado, porque la simiente de Dios permanece en él; y no puede pecar, porque es nacido de Dios" (1 Juan 3:9). Nuestra naturaleza espiritual nos guarda de las trampas del engaño y del pecado.

2. NUESTRA FE

La fe no es humana, no es material, no es emocional ni es intelectual. La fe sólo puede provenir de una naturaleza espiritual; y puede crecer únicamente en aquellos que han rendido sus vidas a Jesucristo. La fe nos hace partícipes de la misma naturaleza de Cristo. Todo lo que sucede en la vida de fe, pertenece a la naturaleza espiritual.

La fe no se puede fingir, no se puede falsificar, pues cuando vienen las pruebas, solamente las personas de fe son las que las soportan. Sabemos que sin fe es imposible agradar a Dios. La fe más pequeña podrá mover la montaña más grande. Los vencedores sólo necesitan tener la fe del tamaño de un grano de mostaza para poder hacer sus grandes conquistas.

La fe debe estar en todo lo que hacemos. Fe es creer lo que Dios dijo, fe es creer la Palabra de Dios.

Si usted quiere tener fe e ignora este libro, está depositándola en usted mismo y no en lo que Dios dice. Fe y temor son antagónicos, no pueden estar juntos, se tiene fe o temor.

La fe genuina nos hace libres del temor. Por medio de ella avanzamos y conquistamos.

3. PROTEGIENDO NUESTROS PENSAMIENTOS

El enemigo trabaja a través de los pensamientos porque él sabe que si la persona en su mente acepta sus ideas, puede conquistar fácilmente su voluntad. Entonces empieza a lanzarle toda clase de dardos. Si en nuestra mente no los aceptamos, y nuestra voluntad permanece firme, no sufriremos ningún daño. Pero quien caiga en la trampa del enemigo y los acepte, éstos son tan fuertes que empiezan a trabajar desde adentro de las personas para doblegar su voluntad. Y cuando esto sucede, las personas quedan espiritualmente desprotegidas; vienen a ser como una ciudad sin muros, muy fácil de conquistar.

Salomón dijo: "Conforme es su pensamiento en su corazón tal es él". Somos la suma de nuestros pensamientos, y éstos son expresados en palabras.

Su mente es una riqueza, un tesoro, no permita que el enemigo lo bombardee con pensamientos destructivos y negativos.

Aunque se construyera una computadora tan poderosa y enorme como el edificio más grande que pudiera existir, no podría producir ni un solo pensamiento. Dios le dio la capacidad al hombre de crear ideas, y debemos canalizar esas ideas para bendición.

Cambie sus pensamientos, no acepte el fracaso.

Propóngase metas por mes, por semana, por día. No permita ningún pensamiento de duda, no hable nada negativo. Si logra la meta de no hablar nada negativo por todo un día, prolónguela por una semana. Una vez que lo logre, extiéndala a un mes. Y si la puede cumplir, amplíela a un año.

De esta manera usted se va convirtiendo en un vencedor.

4. MANTENIENDO UNA MENTE ABIERTA A LA INNOVACIÓN

No busquemos el camino más fácil. Si queremos cosas de éxito, hay que invertir tiempo. En todo esfuerzo que hagamos por lograr algo, con certeza veremos la recompensa. Algo que yo he aprendido es que la innovación de la mente debe ser a diario. Dios me ha enseñado que el día en que no innovemos, ese día nos volveremos legalistas. Todos los días debemos estar con la mente muy abierta para poder entender lo que Dios quiere que hagamos. La innovación impide que el hombre caiga en la monotonía, pues cada día hay nuevos desafíos.

Alguien dijo que un pensamiento es como una ley: se acepta o no, según la firma. Su pensamiento lo compromete porque es la firma suya; ahí está estampada, por eso es fundamental renovar nuestros pensamientos.

5. TENIENDO LA MENTE DE CRISTO

Haga esta reflexión: ¿En qué cosas pensaba el Señor Jesús?

Todo lo que Jesús pensaba estaba ligado a la Palabra, por eso usted encontrará que Él decía: "Padre, el hacer tu voluntad es lo que me agrada". Cada palabra que Jesús decía, ya tenía la aprobación del Padre Celestial. Nunca permitió que su mente estuviese en ociosidad.

Cuando Satanás quiso venir a influenciar en sus pensamientos, Él le dijo: *"Apártate de mí porque escrito está: No solo de pan vivirá el hombre".* Por tres ocasiones le mencionó la palabra "Escrito está", hasta que el adversario se alejó de Él. Santiago dijo: *"Someteos pues a Dios, resistid al diablo y de vosotros huirá"* (Santiago 4:7).

Los Pensamientos de Conquista
Números 13:30-31

Tres pasos son los que presenta Josué para poder apropiarse de aquello que Dios les quiere entregar en sus manos:

Subamos.
La vida de fe implica un esfuerzo de nuestra parte, y es completamente opuesta a la vida de pecado. El pecado siempre lleva a las personas por el camino más fácil, lo cual implica una vida de descenso. La fe demanda de nuestro esfuerzo, el cual es subir la montaña donde están las dificultades, pero con la plena certeza de que las venceremos.

Tomemos posesión de ella.
Josué tenía plena certeza de superioridad sobre los enemigos que ellos tendrían que enfrentar, dado que el poder de Dios los había debilitado y la victoria ya les había sido asegurada por parte del Señor. Esta era la gran oportunidad de hacer realidad cada una de las promesas de Dios para el pueblo.

Más podremos nosotros que ellos.
En otras palabras, son más los que están con nosotros que los que están con ellos. Josué, en su corazón, tenía la plena convicción de que Dios ya les había dado la victoria.

La gran lección que Dios quería darles a los hijos de Israel era que, aunque ellos se enfrentaran a gente mucho más grande que ellos, Dios movería sus ejércitos angelicales y caerían fácilmente, siendo reducidos a nada. Pero en las mentes de estos diez príncipes de Israel, ya el enemigo había usado las circunstancias; y por esta causa pensaron que ellos mismos, con sus propias fuerzas, tendrían que enfrentarse a estos gigantes.

Al quitar sus ojos de Dios y no pensar en la ayuda que recibirían de Él, su ánimo decayó hasta desmayar. Por haberle puesto lógica a la situación, fue que se apartaron de la fe. Y sin fe es imposible agradar a Dios.

"Si Jehová se agradare de nosotros, él nos llevará a esta tierra, y nos la entregará; tierra que fluye leche y miel. Por tanto, no seáis rebeldes contra Jehová, ni temáis al pueblo de esta tierra; porque nosotros los comeremos como pan; su amparo se ha apartado de ellos, y con nosotros está Jehová; no los temáis. Entonces toda la multitud habló de apedrearlos" (Números 13:8-10).

Hallar gracia

Solo podremos agradar a Dios cuando llevemos una vida de fe; y la vida de fe es dependencia total de Dios. Cuando hacemos esto, las mejores bendiciones estarán reservadas para nosotros.

No seáis rebeldes

El no querer conquistar las cosas de acuerdo como Dios las ha planeado, es un acto de rebeldía. Y por causa del negativismo vino el desaliento, y éste conllevó al pueblo a la rebelión.

Ni temáis al pueblo

El sentir temor ante el pueblo al cual se tienen que enfrentar es aceptar la supremacía de ellos sobre sus vidas. No podremos conquistar aquello a lo cual le temamos.

Los comeremos como pan

Esta expresión ejemplifica lo fácil de la victoria, que sin mucho esfuerzo los vencerían. Josué ya sabía que Dios estaba de su lado y que nadie podría estar ante su presencia.

Mas la respuesta que el pueblo le dio a Josué por hablar el lenguaje de la fe fue que debería morir apedreado. Para un pueblo incrédulo, desalentado y quejumbroso, la fe es un lenguaje que le fastidia los oídos.

EL PODER DE LAS PALABRAS DE FE
Números 14:28

Josué y Caleb fueron los únicos de los diez espías que hablaron de una manera diferente. Ellos decidieron creerle a Dios y trataron de mover al pueblo a que actuara en fe y tomara posesión de la tierra. Dios se agradó tanto de ellos que le dijo a Moisés: *"Pero a mi siervo Caleb, por cuanto hubo en él otro espíritu, y decidió ir en pos de mí, yo le meteré en la tierra donde entró, y su descendencia la tendrá en posesión"* (Números 14:24).

LOS EFECTOS DEVASTADORES DE LAS PALABRAS DE QUEJA

Por otro lado, la mayor parte del pueblo se había quejado contra Dios diciendo: *"¡Ojalá muriéramos en la tierra de Egipto; o en este desierto ojalá muriéramos! ¿Y por qué nos trae Jehová a esta tierra para caer a espada, y que nuestras mujeres y nuestros niños sean por presa? ¿No nos sería mejor volvernos a Egipto?"* (Números 14:2-3).

La respuesta de Dios al pueblo fue: Cada palabra que han expresado, se ha convertido en un decreto. Y eso es lo que exactamente haré, morirán en el desierto. Cuarenta días reconocieron la tierra, cuarenta años andarán en el desierto.

Tenga Un Corazón Agradecido

La puerta para llegar a la presencia de Dios se llama "acción de gracias". Nadie podrá disfrutar de la presencia de Dios hasta que la gratitud rebose en su corazón. Josué y Caleb, al confesar ante el pueblo las promesas de Dios, estaban honrándole ante toda la congregación. Y pasados cuarenta años, fueron los líderes que introdujeron al pueblo de Israel en la tierra prometida.

LAS PALABRAS DEL SABIO Y LAS PALABRAS DEL NECIO

Salomón dijo: *"El hombre será saciado de bien del fruto de su boca; y le será pagado según la obra de sus manos"* (Proverbios 12:14).

"Las palabras de la boca del sabio son llenas de gracia, mas los labios del necio causan su propia ruina" (Ecleciastés 10:12).

"La boca del necio es quebrantamiento para sí, y sus labios son lazos para su alma" (Proverbios 18:7).

CONCLUSIÓN

Los resultados que nuestro corazón anhela alcanzar dependerán en gran medida de nuestras actitudes y pensamientos. Esforcémonos por obtener y retener la mente de Cristo, una mente renovada, de conquista y dispuesta a que la voluntad de Dios se establezca en nuestra propia vida, familia, trabajo y grupo de doce.

APLICACIÓN

Una mente de vencedor debe significar en la vida de cualquier creyente, el inicio de una vida de éxito, de conquistar y de poseer las promesas que nuestro Dios nos ha dado en las diferentes áreas de la vida, en nuestra relación con Él, con nuestra familia, ministerio, finanzas, trabajo y salud.

9 Cuestionario de Apoyo

1. Lea y explique 1 Juan 5:4

_____
_____
_____
_____
_____

2. ¿Qué implica en una vida "Nacer de Dios"?

_____
_____
_____
_____
_____

3. ¿Por qué y cómo debo proteger mis pensamientos?

_____
_____
_____
_____
_____

4. Reflexione y analice :

   a. ¿Qué pensamientos tenía Jesús?_____
   _____
   _____
   _____
   _____

   b. Sus pensamientos ¿son parecidos a los de Jesús?
   _____
   _____
   _____
   _____
   _____

5. Mediante una oración, dé gracias a Dios por los pensamientos que Él tiene acerca de usted y pídale palabras de sabiduría para sus labios:

_____

_____

_____

_____

_____

_____

Proverbios 3:9-10

FUNDAMENTACIÓN
BÍBLICA
COMPLEMENTARIA

1 Timoteo 6:17

Hebreos 11:4

Marcos 12:30

Juan 3:16

Génesis 22:16-17

Proverbios 10:7

1 Crónicas 29:12

2 Corintios 9:7-9

Proverbios 11:25

Hebreos 7:2-6

Génesis 28:20-22

Malaquías 3:10-12

Dios creó al hombre para que sea Próspero

10
LECCIÓN

OFRENDA

Al Señor le tomó cinco días de la creación, preparar con lujo de detalles todo lo que el hombre necesitaba para que no tuviese falta de ningún bien.

Dios fue tan generoso con el hombre que, en la misma creación, preparó la provisión para las generaciones venideras, de tal modo que en el planeta Tierra hubiesen suficientes recursos naturales para que cada persona pudiera vivir como un rey.

1. LA OFRENDA DE ABEL

Dios siempre se asegura de que en nuestro corazón solamente Él ocupe el primer lugar. Dios no les dijo a Caín y Abel lo que debían ofrendar, pues esto debería ser algo espontáneo del corazón de cada uno de ellos. Pero con esas ofrendas, Dios pudo medir su nivel de compromiso.

¿De quién Dios se agradó como resultado de su ofrenda?

Del que tuvo un corazón generoso. Mas Dios rechazó al de corazón mezquino. *"Por la fe, Abel ofreció a Dios más excelente sacrificio que Caín, por lo cual alcanzó testimonio de que era justo, dando Dios testimonio de sus ofrendas; y muerto, aún habla por ella" (Hebreos 11:4).* Usted puede notar que en este solo verso están los pasos de lo que debe ser una ofrenda correcta:

Ofreció

El ofrecer es un acto de nuestra voluntad. A través de ello expresamos el aprecio que tenemos por la persona a quien ofrendamos. Dios se agradó de Abel porque, al igual que el niño que se sabe desprender de lo que ama, voluntariamente ofrendó a Dios. Mientras que Caín hizo lo del niño que se aferra a lo que más quiere, dando de lo que no le interesaba. Por eso, Dios no recibió con agrado la ofrenda de Caín, sino que la rechazó.

Más excelente

Abel no sólo dio una buena ofrenda, sino que buscó cuál sería la mejor, porque entendió que lo mejor era lo que debería dar a Dios. Una ofrenda excelente, por lo general, tiene un costo. Entre mejor sea la ofrenda, mayor será el costo. Una buena ofrenda es un mensaje de amor donde combinamos nuestra parte espiritual, emocional y física en un solo detalle. Y cuando damos algo a Dios, no lo hacemos esperando recibir algo a cambio, sino que le estamos dando a Él nuestra adoración.

Sacrificio

Abel entendió que la ofrenda correcta implicaba sacrificio. Aunque él hubiese preferido darse a sí mismo a Dios, buscó un sustituto. Y escogió lo mejor del rebaño para que representara su entrega total ante Dios.
El Señor Jesús dijo: *"Porque de tal manera amó Dios al mundo, que ha dado a su Hijo unigénito, para que todo aquel que en él cree, no se pierda, mas tenga vida eterna"* (Juan 3:16).
La manera como Dios demostró su amor hacia este mundo fue dando en sacrificio a su único Hijo. Cuando damos lo mejor de nosotros a Dios, le estamos retribuyendo de alguna forma la ofrenda de salvación que Él nos dio.

Alcanzó testimonio de justificación

Como lo vimos con anterioridad, una ofrenda habla. La ofrenda de Abel se convirtió en el mayor testimonio ante Dios, y ese testimonio lo hizo justo. También Dios probó a Abraham y éste estuvo dispuesto a sacrificar a su hijo. *(Génesis 22:16-17)*.

La ofrenda habla después de muerto

Salomón dijo: *"La memoria del justo será bendita; mas el nombre de los impíos se pudrirá"* (Proverbios 10:7). Lo que inmortalizó a Abel fue la clase de ofrenda que dio. Si es tan importante la ofrenda que damos a Dios, debemos esforzarnos por siempre darle a Él lo mejor.

2. DIOS DA TESTIMONIO DE SUS OFRENDAS

Las ofrendas se convierten en argumentos a favor nuestro. Usted recordará el caso del centurión, cuyo siervo estaba postrado en cama muy enfermo, y los ancianos de Israel abogaron por él ante Jesús, diciéndole: *"Es digno de que le concedas esto; porque ama a nuestra nación, y nos edificó una sinagoga. Y Jesús fue con ellos" (Lucas 7:5-6).* Cuando Jesús escuchó la ofrenda que él había dado, inmediatamente fue con ellos.

3. LAS RIQUEZAS PROVIENEN DE DIOS

David, refiriéndose al gran desafío y responsabilidad que tenía su hijo Salomón de edificar la casa de Dios cuando le sucediera en el trono, dijo: *"Las riquezas y la gloria proceden de ti, y tú dominas sobre todo; en tu mano está la fuerza y el poder, y en tu mano el hacer grande y el dar poder a todos" (1 Crónicas 29:12).*

Cuando entendamos que las riquezas provienen de Dios, y que solamente de Él proceden todas las cosas, podremos tener un corazón generoso y desprendido para con Él. Nunca daremos a Dios algo mejor de lo que Él nos puede dar.

"Yo sé, Dios mío, que tú escudriñas los corazones, y que la rectitud te agrada; por eso yo con rectitud de mi corazón voluntariamente te he ofrecido todo esto, y ahora he visto con alegría que tu pueblo, reunido aquí ahora, ha dado para ti espontáneamente" (1 Crónicas 29:17).

A través de esta oración hecha por David, podemos ver que:

Dios escudriña los corazones

Cuando Jesús entró en el templo, mientras los discípulos se fijaban en cuánto ofrendaba la gente -es decir, en la forma externa de la ofrenda- el Señor escudriñaba los corazones. A los que aparentaban ser muy generosos, el Señor los identificó como mezquinos porque daban a Dios de lo que les sobraba. Mas a aquella mujer que dio la impresión de dar muy poco, el Señor la alabó porque su ofrenda había superado a la de los demás, pues la había dado con esfuerzo.

La rectitud agrada a Dios

La integridad es resultado de la generosidad. A Caín lo destruyó su egoísmo, y a Judas lo aniquiló su avaricia. Los hombres que tocaron el corazón de Dios pudieron demostrar con su generosidad su entrega total a Él.

Voluntariamente te he ofrecido todo esto

Todo lo que Salomón utilizó para la construcción del templo incluía oro, plata, la mejor madera y los mejores materiales.
Esto provenía de la ofrenda voluntaria del pueblo y de lo que David había logrado acumular de sí mismo, entregándolo para edificación del santuario.

El pueblo ha dado para ti espontáneamente

La ofrenda espontánea es aquella que el pueblo da de una manera deliberada, donde da de su generosidad. *"Cada uno dé como propuso en su corazón: no con tristeza, ni por necesidad, porque Dios ama al dador alegre. Y poderoso es Dios para hacer que abunde en vosotros toda gracia, a fin de que, teniendo siempre en toda las cosas todo lo suficiente, abundéis para toda buena obra"* (2 Corintios 9:7-9). *"El alma generosa será prosperada; y el que saciare, él también será saciado"* (Proverbios 11:25).

APRENDIENDO A DIEZMAR
Malaquías 3:10-12

Dios preparó una serie de bendiciones que solamente serán alcanzadas por aquellos que han aprendido la importancia de diezmar:

Traed todos los diezmos al alfolí. El alfolí representa la iglesia o el lugar donde usted se está edificando espiritualmente. Allí es donde debe llevar los diezmos regularmente.

Haya alimento en mi casa. Con los diezmos se sostiene a aquellos que se ocupan de hacer la obra de Dios. Y por ello, Dios le recompensará.

Y probadme. Este es el único texto donde Dios invita a sus hijos a que prueben su fidelidad para con los que son obedientes en dar. El mismo Señor se compromete a abrir las ventanas de los cielos en respuesta a nuestros diezmos y ofrendas, y a derramar sobre nosotros bendición hasta que sobreabunde, es decir, más allá de lo que pedimos o imaginamos.

Reprenderé también por vosotros al devorador. El devorador es el espíritu de ruina, que el mismo Señor se compromete a alejar de nosotros.

Y todas las naciones os dirán bienaventurados. La bendición será tan clara que se extenderá a otras naciones, y ellos verán el favor de Dios para con cada uno de sus hijos.

Porque seréis tierra deseable. Esto solamente sucede cuando la maldición ha sido quitada y la bendición restaurada en nuestro territorio.

CONCLUSIÓN

La prosperidad viene cuando hay reciprocidad del hombre hacia Dios. El Señor prueba la fidelidad del corazón de acuerdo a lo que el hombre le ofrenda.

Adán tomó del fruto del árbol prohibido, que es la parte de las finanzas que le pertenece a Dios. Aunque toda la tierra pertenecía a la primera pareja, sus corazones se desviaron y quisieron tener más. De todos los árboles del huerto, Dios se reservó solamente uno para probar la fidelidad de ellos. Del mismo modo, Dios se ha reservado el diez por ciento de nuestros ingresos, para probar nuestro compromiso con Él.

APLICACIÓN

Proponga a sus estudiantes recoger una semilla o pacto para la iglesia que rompa con la escasez de cada familia y ministerio representado.

10 Cuestionario de Apoyo

1. ¿Qué significa ofrendar?

_____
_____
_____
_____
_____

2. ¿Por qué agradó al Señor la ofrenda de Abel?

_____
_____
_____
_____
_____

3. Enuncie los pasos de una ofrenda correcta:

_____
_____
_____
_____
_____

4. ¿Qué mira Dios cuando alguien ofrenda?

_____
_____
_____
_____
_____
_____

5. ¿Qué es el diezmo?

_____
_____
_____

6. ¿Qué beneficios trae a su vida el diezmar?

_____

_____

_____

_____

_____

7. Con sinceridad examine su actitud frente al diezmo y la ofrenda: pida perdón a Dios si no ha sido fiel, o si su actitud ha sido incorrecta; pacte con Él que desde hoy lo hará.